GAMES FOR LEARNING CHINESE

游戏学中文

周彦卓 舒一兵◎编

北京语言大学出版社
BEIJING LANGUAGE AND CULTURE
UNIVERSITY PRESS

图书在版编目（CIP）数据

游戏学中文 / 周彦卓，舒一兵编. —北京：北京
语言大学出版社，2010.2
ISBN 978-7-5619-2687-1

Ⅰ.①游… Ⅱ.①周… ②舒… Ⅲ.①汉语—对外
汉语教学—教学参考资料   Ⅳ.① H195.4

中国版本图书馆CIP数据核字（2010）第015994号

书　　　名：游戏学中文
责任印制：汪学发

出版发行：北京语言大学出版社
社　　　址：北京市海淀区学院路 15 号　　邮政编码：100083
网　　　址：www.blcup.com
电　　　话：发行部 82303650/3591/3651
　　　　　　编辑部 82303647
　　　　　　读者服务部 82303653/3908
　　　　　　网上订购电话 82303668
　　　　　　客户服务信箱 service@blcup.net
印　　　刷：北京画中画印刷有限公司
经　　　销：全国新华书店

版　　　次：2010年2月第1版　2010年2月第1次印刷
开　　　本：889毫米×1194毫米　1/16　印张：14
字　　　数：267千字
书　　　号：ISBN 978-7-5619-2687-1/H · 10039
　　　　　　04200

凡有印装质量问题，本社负责调换。电话：82303590

序

　　周彦卓和舒一兵两位老师都毕业于北京语言大学，多年来一直在中国的大学和美国的中小学从事汉语教学和中国文化传播工作。我认识两位老师虽然时间并不算长，但是共同的理想以及对海外汉语教学的共识和默契，使我们成为无话不谈的好朋友。当他们请我为他们的新作《游戏学中文》写序时，我毫不犹豫地答应了下来。我为他们的耕耘而高兴，为他们的收获而自豪。

　　《游戏学中文》一书选择在游戏中再现生活，在游戏中培养孩子们对汉语的认知能力（按照个人对人对事的看法和标准，对事物进行评价和选择）、语言智力（通过不同类型的游戏内容，系统培养儿童对汉语的理解能力）、音乐智力（通过歌曲、歌谣、乐器及有节奏的演说，培养儿童的节奏感）、人际智力（通过集体游戏活动，培养儿童的合作精神）、动觉智力（通过肢体游戏，在学习汉语的同时发展儿童的动觉智力）、视觉智力（通过拼图、做服装、识别颜色、描述照片等游戏，培养儿童的视觉记忆能力）、逻辑智力（通过分类和逻辑序列，培养儿童的逻辑能力）。细读这100个语言游戏，每一个都与少儿的真实生活息息相关，与他们的需要、兴趣紧密相连，并且集实效性、交际性、竞争性、趣味性为一体，将汉语字、音、词、句等要素有机地融入游戏当中，在轻松自然的环境中，激起少儿的共鸣，从而达到"潜移默化"、"教学活动化、活动交际化"的教学效果。从这个意义上说，《游戏学中文》称得上是一本少儿汉语教学的游戏小百科。

　　教育学家鲍比·迪波特（Bobbi De Porter）说过："在学习方面，你最有价值的财富是一种积极的态度。"而在少儿汉语学习活动中，所谓"积极的态度"就是让少儿在汉语活动中产生学习汉语的愿望，并且掌握学习汉语的方法的一种教育理念。运用游戏学汉语正是从这一教育理念出发，使少儿在汉语学习过程中保持一种积极的态度，竖起耳朵学会倾听，放开手脚自由感受，张开嘴巴大声说练，活动四肢边说边做，让汉语学习变得轻松自然。

　　少儿教学活动中最自然的方法就是游戏，孩子的汉语学习就是做游戏。《游戏学中文》的语言游戏自然教学法就是用游戏的方式，使少儿的汉语学习活动充满乐趣。通过组织各种跟他们真实生活相关的游戏活动，让少儿在动耳、动手、动口、动脑的活动中感受汉语、运用汉语、掌握汉语，把枯燥的学习过程演变为"声音游戏"、"说唱游戏"、"动作游戏"等。这样既能满足他们玩的愿望，又能促进他们对汉语的有效习得，真可谓用心良苦。

　　《游戏学中文》根据游戏内容、词汇量多少和难易程度，结合学生的思维、行为、知识结构特点，划分为三个不同的年龄段，并考虑到不同层次、不同文化背景和不同汉语水平的实际需要，收集了100个课堂游戏，由浅入深，由易到难，丝丝入扣地让每个游戏都再现少儿日常生活中熟悉的真实情景，让他们在有意思的活动中扎扎实实地学好汉语，同时又多方面地促进了少儿的心理发展，充分挖掘了他们学习汉语的潜能。比如，利用他们处于学习汉语黄金期的优势，开发他们猜测语义的能力、运用有限的语言来表达意思的能力、间接学习语言的能力（孩子在无意识的情况下能学到很多重要的语言技能）、通过想象来学习的能力、说话和交流的能力、动手动脑能力、思维思考能力，等等。当然，对低龄学习者来说，学习汉语的一个最重要的原则就是"快乐"，因为他们不同于成人学习，后者是为达到某种目的而直接来学语言的，而前者是间接来学习语言的。他们对游戏很感兴趣，对玩很感兴趣，对观察、描述、述说并真实地再现他们生活中点点滴滴的大小事情很感兴趣，对自己动手制作东西很感兴趣……如果一个游戏内容非常有趣，那么他们就会试图去理解，去模仿，去思考，去说，去做，去演，去唱，去跳，去玩，去记，去应用。这样就训练了他们的理解能力，同时在说和玩的过程中训练了他们的发音。教师和他们玩游戏，并给他们一个特定的语言任务，让他们在玩的过程中不断运用，那么他们就会很想说，很想做，很想学。

总之，两位老师精心设计的汉语游戏一定能促进儿童朝着多元智力的目标发展，与儿童素质教育相统一。在这本书里，游戏不是让学生漫无目的地疯玩，也不仅仅是为了填补课堂空余时间或者放松课堂紧张气氛，而是真正地跟汉语教学联系在一起，让孩子在游戏中主动地建构语言。

愿《游戏学中文》成为海外中文教师的好帮手。

美国波特兰州立大学孔子学院院长

刘美如

2009年夏

前　言

众所周知，成年人有时会借助肢体动作来记住新的词语或发表演讲，这意味着语言与肢体动作有着十分密切的关系，人类的运动神经对语言神经起着极其重要的作用。这对于少儿（这里将少儿定义为15周岁以下）来讲更是如此。因为少儿的理性思考能力和知识结构仍处于成长时期，还不能完全以成年人的方式来学习一门新的语言。少儿要利用与生俱来的肢体动作来弥补其理性思考能力和知识结构上的不足。事实上，自觉而有意识的肢体动作是其社会经验和知识结构的一个重要组成部分。

另一个事实是，在面对一个新的语言时，我们发现，具备更多逻辑思考能力的成年人的学习速度并不总是快于更多利用肢体动作的少儿，但这并不是因为成年人的记忆力较差。有实验表明，12岁以下的少儿的记忆力通常并不及35岁以下的成年人，这是因为记忆需要联想能力。比如，为了记住一个英语单词，成年人可以利用前缀、后缀、拉丁语词根等来自逻辑思考和知识结构的联想能力；但这对于一个少儿来讲，就明显是不可能的，除非他是一个语言学神童。尽管如此，少儿也会用他们自己的方式来记住这个英语单词。对于中文学习来讲，也是一样。

这里必须阐明的一个重要的知识或经验是，如果一个第二语言学习者就生活在目的语国家或地区，即使没有家庭教师、语言辅导班和教科书，他也仍具备掌握这门语言的潜质。我们可以想象一下，一个人类学家或语言学家是怎样学习和掌握一门他们偶遇的、濒临灭绝的部族语言的，并且这个语言又不在他们业已掌握的语言所属语系之中——这意味着他们几乎没有发挥逻辑思考能力和运用知识结构的机会。就第一步来讲，他们克服这个问题的唯一有效的方式就是向这个部族的土著微笑，然后用肢体动作进行交流。

虽然这个办法可能在时间上和效率上不太划算，但如果你不会说中文而又必须在北京街头问路的话，除了比比画画、鹦鹉学舌之外，还能做些什么别的呢？需要进一步说明的是，一个精心设计的肢体动作在第二语言习得过程中要远比非设计的、天然的肢体动作有效得多。精心设计的肢体动作的概念应包括：（一）它的设计主导思想是以教师的语言学、心理学、行为学知识、社会研究和教学经验为基础的；（二）所设计的内容应使学生的肢体动作更趋于自然，而不应使学生感到难受，即要为学生创造一个愉快而自然的学习环境；（三）设计应以第二语言习得为目的。以上三点也可视为本书游戏设计的基本原则。

探索把中文作为第二语言教学的教学法是从事此项工作的教师们的一项重要责任。如何更加有效地利用游戏作为语言训练的一种活动方式，以提高教学质量，今天业已成为越来越多的教师，特别是少儿中文教师的一个重要共识。我们认为，在选择一项合适的中文教学游戏时，首先要考虑并回答下面几个问题：

一、游戏是否符合学生的年龄特点（普遍的知识水平、智力水平）和中文水平？

二、游戏目的是否明确？是关于词汇、语法、听力还是口语？是复习还是学习新的内容？

三、游戏是否具有可操作性（包括材料、程序、学生人数和时间等）？

四、游戏是否能引起学生的兴趣？

五、游戏是否符合教师的总体教学安排？是否结合了近期的教学内容？

六、游戏是否符合道德规范？

七、游戏是否安全？

八、甚至可能还需要考虑，游戏是否介绍了中国文化？

如果用这八项标准来衡量、选择适合中文教学的游戏，那么你会发现，游戏教学并非是什么容易的事。这就是我们为什么要收集、整理并创新100个游戏并推荐给大家的原因。

另外，我们觉得有必要在此简述一下"语言教学游戏"和"情景练习"之间的区别。一般来讲，"情景练习"的内容依托于课文文章或对话的内容，即"情景练习"始终带有虚拟性和强制性的色彩，学生也只是感觉到他们在扮演练习中的一个角色，而并不是现实的生活。实际上，只有他们的肢体动作，或称为经过设计了的、能让他们感到自在有趣的游戏，对于他们来讲才是真实的。这样就可以把他们正在说的和他们正在做的（并不是虚拟的和强制的）结合起来，并提高他们的汉语技能。比如，教授学生如何用中文购物，情景练习通常的做法是把学生分成不同的角色——顾客和售货员，然后读课文或练习里的对话。这样做的效果肯定不如在教室的桌子上放上一大堆东西当商品，并注上价钱，再发给学生"钱"，最后还要看谁买的东西多的方式。再如，用最常见的跳绳游戏来教学生说中文数词。开始时，学生一定会在"one，two，three"和"一、二、三"中挣扎，同时还要考虑跳的动作，但经过一段时间的练习后，"一、二、三"就像融进了学生的血液，再也不会忘记。因为这些中文数词对他们来说并不是虚拟的，而是真实的、活生生的。他们没有感觉今天被强迫学"一、二、三"了，而只是在跳绳。"教学游戏"和"情景练习"的另一个重要区别是，作为"游戏"，学生们大多是乐于在课外活动中主动延续并演练的；而"情景练习"就很难做到这一点。当然，我们并不是要摒弃"情景练习"，而只是希望教师们能够明确区分"语言教学游戏"和"情景练习"的不同功能，以达到合理选用教学手段的目的。

最近这些年，越来越多的专职中文教师从中国来到美国，从事中小学的中文教学工作。虽然他们都有很高的语言水平，但对他们来讲，美国学生的生活、学习情况、知识结构、兴趣爱好等不是短时间内就能够了解清楚的。因此，他们在进行游戏时，有时效果就不太理想。本书的另一个编撰目的就是想在这方面为他们提供一些帮助。

少儿在某一特定年龄段的某些词汇和表达法与成年人是不同的，因此本书鼓励教师增强对学生母语的理解力。与传统的中文教材不同，本书更强调增强学生用中文表达其所在国家的文化的兴趣。在附录"情景词语"中，我们列举了一个基于美国儿童文化的词语表，里面的词语是我们认为应要求学生首先学会用中文表达的。其理由是，当面对一个自己熟悉的文化时，更可以激发学生用中文思考，并更加自觉地在课外主动说练中文。

本书介绍的100个游戏都是在中文课堂上应用并验证过的，并且效果良好。

与中国的中小学不同，很多美国学校都同时开设几门外语课程，供学生选择。这也给各语种的教师提供了互相学习、借鉴语言教学法的机会。我们也从英语作为第二语言教学的教师以及其他外语教师那儿学到了很多东西。

本书是针对在美国教授中文的教师编写的，因为我们在美国教中文，或许对美国学生的了解更多一些。我们相信，只要大家发挥一点想象力，书上所介绍的教学游戏是可以适用于任何一个国家的。关心学生中文学习的家长，甚至学生本人也可以从这些游戏中受到一些启发。

在此，我们谨对俄勒冈州波特兰市凯特琳·盖博学校（Catlin Gabel School）亲爱的学生们和同事们、波特兰州立大学孔子学院院长刘美如博士，以及华盛顿州西雅图市亲爱的学生们和从事中文教学的朋友们致以由衷的感谢。正是因为他们，我们才能够顺利地完成此书的编纂。

周彦卓　舒一兵

使用指南

一、术语

游戏目的：本书中的每项游戏都有一个明确的目的，即学习或复习中文词汇、句型，书写汉字，进行听力或综合练习。它们将使学生在听说读写、感知汉语及了解中国文化方面得到训练。在这一项里，本书经常提到"复习"和"学习"两个词，但这并不是一成不变的。作为作者，我们只是觉得有的活动似乎更适合于复习，而有的似乎又更适合于学习新的内容。至于到底是复习还是学习，则完全取决于教师个人对某项游戏的利用方式和学生的需要。

所需材料：游戏中所要求的材料是重要的，也是必备的，教师在课前必须准备妥当。一些材料可以自制，一些可以在商店购买。建议教师尽量多地和学生一起准备这些材料，这不仅是一件有趣的工作，而且还是一个让学生学习中文并融洽师生关系的好机会。

适合年龄：本书根据游戏的难易程度，并结合学生各个年龄段的思维、行为、知识结构特点，划分为6~8、9~12、13~15三个年龄段。需要提醒的是，教师在考虑学生年龄的同时也要考虑学生实际的中文水平。

基本词语：为了能顺利地进行某项游戏，本书列举了所需的基本词语，并要求学生掌握。在实际操作过程中，教师应结合学生的实际情况给予增加、删减或改编。

游戏步骤：本书用阿拉伯数字标出了游戏步骤。建议教师在活动前整体浏览一遍，以便全面掌握。

游戏扩展："游戏扩展"是对"基本词语"的补充，它主要来源于书后附录的"情景词语"。通过词汇和句型的替换练习，可以扩展学生的词汇量和句型量。这样可使学生只通过一个游戏就得到更多练习的机会，不会使他们因游戏内容的单调而失去兴趣。

小提示："小提示"主要是提醒教师在活动前、活动中的一些注意事项，并介绍游戏的其他一些变形，以及某些游戏的历史、文化来源。

二、不同的游戏功能如何与教案相结合

通常，教师都会根据学生的年龄、年级、个性特点、中文水平以及使用的教材、课时、班级人数和学校的教学要求来制定自己的教案，它会详细到每个学期的每一堂课。教师应该密切结合正在教授的课文内容或设计一个包括准备教授或复习的生词、句型的教案，从而选

择合适的游戏与之呼应。无论怎样，都需要教师灵活地运用课本，并通过游戏，从传统式课本教学内容的某些约束中解放出来，以增强学生的学习兴趣。本书中的每个游戏都有其自身的功能，包括"词汇练习"、"句型练习"、"汉字练习"、"听力练习"、"综合练习"等。希望教师在设计教案时，一定要考虑到每个游戏的不同功能。

三、情景词语

"情景词语"是了解少儿文化及其知识结构的参考，其中绝大部分情景都是海外少儿所熟悉的，希望教师能够利用它来增加学生的词汇量。"情景词语"包括"周末"、"聚会时刻"、"在公园"、"度假时光"、"旅行方式"、"学校设备"、"学校一日"、"家"、"建筑"、"工具"、"人物描绘"、"服饰"、"各行各业"、"故事中的角色"、"故事中的动物"、"故事中的物品"、"购物"、"食物"、"宠物"、"农场动物"、"海洋生物"、"野生动物"、"鸟类"、"小动物"、"植物"及"季节和天气"等共 26 个情景板块。每个板块中又划分出不同类别的相关词语和起补充作用的"联想词语"。"情景词语"是对正文游戏中"基本词语"的重要补充。同时，"情景词语"还为设定美国15岁以下学生应掌握的中文词汇提供了某种意义上的参考。但应当注意的是，"情景词语"本身并不是一本小词典或教科书后的"词汇表"，它的目的只是再现某一情景中的词语。

目 录

句型练习

汉字练习

听力练习

附录：情景词语

1 今天的我

游戏目的

学习用中文表达关于食品和服装的词语

适合年龄 6—15

所需材料

画有汉堡包、三明治、麦片、鸡蛋和薄饼的练习纸（1）；
画有尚未着色的外套、裤子和鞋的练习纸（2）；
彩色铅笔和蜡笔

基本词语

今天 jīntiān today	我 wǒ I, me	我的 wǒ de my	早餐 zǎocān breakfast
午餐 wǔcān lunch	上衣 shàngyī coat	裤子 kùzi pants	鞋 xié shoe
红 hóng red	黄 huáng yellow	蓝 lán blue	绿 lǜ green
白 bái white	黑 hēi black	是 shì be, yes	的 de of

游戏步骤

1. 要求学生在练习纸（1）上勾出今天已吃过的食品，并交给老师。

2. 老师用中文说出这些食品的名字并造句，学生跟读。比如：

   汤姆的早餐是薄饼。

3. 老师把这张纸还给汤姆，他就站起来对全班说：

   我的早餐是薄饼。

4. 要求学生根据他今天的穿着给练习纸（2）上色，然后交给老师。

5. 老师用中文说出这些穿着的名称和颜色并造句，学生跟读。比如：

   玛丽的上衣是红的，裤子是黄的，鞋是黑的。

6. 老师把练习纸还给玛丽，她就站起来对全班说：

   我的上衣是红的，裤子是黄的，鞋是黑的。

游戏扩展

- 当老师明确学生已学会说"我的"以后，可将词汇学习延伸到学说"他（她）的"。

- 请从"情景词语"中的"食物"和"服饰"中选择更多相关的中文词语。

小提示

＊根据学生人数，老师可分几次完成该项活动，而且要保证每个学生都有几次练习机会。

笔记

② 量 得 好

游戏目的

学习中文数词和量词

所需材料

尺子、笔、纸

基本词语

好 hǎo good, well	尺子 chǐzi ruler	一 yī one	二 èr two
三 sān three	四 sì four	五 wǔ five	六 liù six
七 qī seven	八 bā eight	九 jiǔ nine	十 shí ten
英寸 yīngcùn inch			

游戏步骤

1. 发给每个学生一把尺子，要他们测量并记录下列事项：

身高：_____　　　发长：_____

臂长：_____　　　小手指长：_____

脚长：_____　　　腿长：_____

桌高：_____　　　椅高：_____

2. 学生用中文记录测量结果，并向全班报告。

游 戏 扩 展

● 请从"情景词语"中的"人物描绘"中选择更多中文词语。

小提示

＊活动前提是学生已会读尺。

笔 记

_____

_____

_____

_____

_____

_____

3 我的家庭树

游戏目的

学习用中文表达亲属称谓

适合年龄 9—15

所需材料

纸、笔（彩色铅笔、蜡笔或标记笔）

基本词语

爷爷 yéye grandpa	奶奶 nǎinai grandma	爸爸 bàba dad
妈妈 māma mom	哥哥 gēge elder brother	弟弟 dìdi younger brother
姐姐 jiějie elder sister	妹妹 mèimei younger sister	我的 wǒ de my
家庭 jiātíng family	树 shù tree	

5

游戏步骤 ➤

1. 从纸的底端开始，让学生画两张脸，代表爷爷和奶奶，并作为树的主干。

2. 在爷爷、奶奶的下面写上他们的名字。

3. 从树的主干画出分枝，爷爷、奶奶的每一个孩子是一个分枝。画上这些孩子的脸，也在下面写上他们的名字。

4. 在爷爷、奶奶已经结婚的孩子的旁边画上一张脸，并标上丈夫或妻子的名字。

5. 从每一对夫妇那里给他们的每一个孩子画出一个分枝。学生本人应当就是其中一个。

6. 再画上这些孩子的脸，写上他们的名字。现在，这张图就很像是一棵树了。

7. 在每张脸的边上画一些树叶，并用彩色铅笔、蜡笔或标记笔给这棵家庭树上色。

8. 在兄弟姐妹的名字旁写上他们的年龄，并用中文写上所有亲属的称谓。

游 戏 扩 展

● 学生可学习更多诸如"舅舅、姨妈、姑姑、表哥、表妹"等亲属称谓。

笔记

4 我的最爱

游戏目的

学习用中文说自己喜欢的东西

适合年龄 6—15

所需材料

纸和笔

基本词语

我的 wǒ de　my	东西 dōngxi　thing
喜欢 xǐhuan　like, love	最 zuì　most, -est　　最喜欢的 zuì xǐhuan de　favorite
最不喜欢的 zuì bù xǐhuan de　sth. or sb. one dislikes the most	

favorite
最喜欢的

游戏步骤

1. 在横格纸的左端用中文和英文排列目录。例如：

食物 food   动物 animal   甜点 dessert

歌 song   水果 fruit   球队 (ball game) team

课 school subject   运动 sport   老师 teacher

漫画 cartoon   颜色 color   季节 season

蔬菜 vegetable   书 book

2. 在横格纸的顶端列出"最喜欢"和"最不喜欢"两项。

3. 学生依次告诉全班他的答案，老师则翻译成中文。

4. 要求学生记住怎样用中文说他的答案。

游 戏 扩 展

● 可学说中文句型"我最喜欢的食物是汉堡包"。

● 请从"情景词语"中的"周末"、"在公园"、"故事中的动物"、"购物"、"食物"、
"宠物"、"农场动物"、"海洋生物"、"鸟类"、"小动物"、"植物"以及"季节和天
气"中选择更多的中文词语，让学生描述自己的生活。

笔 记

5 找朋友

游戏目的

学习用中文说出并区别"我的"、"他的"、"她的"

适合年龄 6—15

所需材料

纸；
彩色铅笔、蜡笔或标记笔；
分别印有"我的"、"他的"、"她的"的卡片

基本词语

找 zhǎo look for	我的 wǒ de my	他的 tā de his
她的 tā de her	朋友 péngyou friend	最好的 zuì hǎo de best
是 shì be		

游戏步骤

1. 要学生用中文或英文向全班提出三个或更多的问题。提问方式如下：

你还记得我们第一次见面是什么时候吗？

我的生日是什么时候？

我住在哪儿？

我们之间发生过的最有趣的事情是什么？

2. 能回答出最多问题的学生就是这名提问学生的最好的朋友。

3. 当每个学生都找到自己的好朋友后，学生在纸上互相画像，并写上对方的名字，然后交给老师。

4. 老师用中文向全班学生说："这是××（如汤姆）的像，他的/她的最好的朋友是……"；汤姆则说："我的最好的朋友是……"。

5. 说的同时，学生要先举起"我的"字卡；然后，如果这名学生最好的朋友是女生，就向她举起"她的"字卡；如果是男生，就向他举起"他的"字卡。

6. 游戏结束后，两个好朋友要互换画像并拥抱。

小提示

＊要鼓励学生多用中文提问。

笔 记

_____

_____

_____

_____

_____

_____

6 太贵啦

游戏目的

学习用中文购物

所需材料

杂货店的小广告、剪刀、胶水、纸

基本词语

我 wǒ I, me	想 xiǎng want (to)	买 mǎi buy
太 tài too, extremely	贵 guì expensive	

太贵啦！

游戏步骤

1. 让学生从杂货店的小广告中选择三项想买的东西。

2. 把广告上的图片剪下来，贴在纸上，然后在每项下面写上英文，并交给老师。

3. 老师在英文后面写上中文，并要求学生记住。

4. 等学生学会以后，老师就叫他面向全班说出他想买的东西，要求使用句型：

我想买A、B和C。

5. 全班同学则高喊"太贵啦"来回应。

游戏扩展

● 请从"情景词语"的"购物"中选择更多词语教授给学生。

小提示

*对此游戏进行改编后，还可用来教学生如何用中文说价钱。

笔记

7 跳 绳

游戏目的

学说中文数词

所需材料

绳子、较为宽敞的活动场地

适合年龄 6—15

基本词语

绳 shéng rope	跳 tiào jump	一 yī one	二 èr two
三 sān three	四 sì four	五 wǔ five	六 liù six
七 qī seven	八 bā eight	九 jiǔ nine	十 shí ten
二十 èrshí twenty	三十 sānshí thirty	四十 sìshí forty	
五十 wǔshí fifty	六十 liùshí sixty	七十 qīshí seventy	
八十 bāshí eighty	九十 jiǔshí ninety	一百 yìbǎi one hundred	

游戏步骤

1. 把学生分成几个小组，每组发一根绳子。

2. 先请每组选一个学生来跳绳，其他学生用中文数"一、二、三……"。

3. 再换其他同学跳。

4. 看看每组学生中谁跳得最多，再评出全班学生中谁跳得最多。

游戏扩展

● 请参见"情景词语"中的"周末"，以选择更多可教授的中文词语，并了解学生的运动爱好。

小提示

* 无论对孩子还是大人来说，跳绳都是一项非常常见的运动。在这个游戏中，学生要一边跳，一边用中文报数。如果刚开始时不太习惯，也可以准许学生用英文数数，老师可以大声用中文报数，以引导学生。

笔记

8 丢卡片

游戏目的

利用传统的中国游戏复习中文词语

适合年龄 9—12

所需材料

印有学生已学过的中文词语的卡片

游戏步骤

1. 让学生坐成一个大圈。

2. 给其中的一名学生一张词语卡片。

3. 告诉其他学生，这个拿卡的学生会绕着大家跑。跑第一圈时，坐着的学生不许回头看；跑第二圈时，拿卡片的学生会把这张卡悄悄地放在某个学生的身后。

4. 坐着的学生需要转身看卡片是否在自己这儿。

5. 发现卡片的学生要拿起来，并要在刚才拿卡的那个学生跑到自己座位前抓住他。

6. 如果没抓住，这个学生就要读出卡上的中文词语。

7. 如果抓住了，或被抓的那个学生跑回了自己的座位，而不是抓人的学生的座位，那么他也要大声读出卡上的中文词语。

8. 无论抓人的还是被抓的，只要读错了卡片上的词语，都算输掉了游戏。

小提示

＊准备创可贴以备受伤时使用。

＊可以用图画来代替卡上的汉字。游戏时，学生要用中文说出图画是什么。

＊本游戏由中国传统游戏"丢手绢"改编而来。在"丢手绢"中，当丢手绢的学生绕着圈跑时，坐着的同学要唱："丢、丢、丢手绢，轻轻地放在小朋友的后面，大家不要告诉他。快点儿、快点儿抓住他，快点儿、快点儿抓住他。"当唱到最后一个字时，丢手绢的学生就要丢下手绢，然后开始跑。如果条件允许，建议老师按此传统步骤适当调整游戏。

笔 记

9 中国功夫

游戏目的

学说描绘肢体动作的中文词语

适合年龄 6—15

所需材料

长布带

基本词语

中国 Zhōngguó China	功夫 gōngfu kung fu	站 zhàn stand
转 zhuǎn turn	左 zuǒ left	右 yòu right
打 dǎ hit, strike	踢 tī kick	拳 quán fist
脚 jiǎo foot	骑马蹲裆 qí mǎ dūn dāng squat like riding a horse	
提 tí raise	谢谢 xièxie thanks, thank you	再 zài again, once more

17

游戏步骤

1. 让学生腰上系上长布带，扮成功夫大师的样子。

2. 要求学生模仿老师的动作。老师高喊一句口令，学生就大声重复一句。

（1）站

（2）提拳（到腰）

（3）右转

（4）打右拳，向前踢左脚

（5）左转

（6）再左转

（7）提拳（到腰）

（8）打左拳，向后踢右脚

（9）右转

（10）骑马蹲裆

（11）出拳两次

（12）站直

（13）抱拳（左手掌盖住右拳）

(1)　　(2)　　(3)　　(4)　　(5)

(6)　　(7)　　(8)　　(9)

(10)　　(11)　　(12)　　(13)

3. 告诉学生，抱拳的意思就是"谢谢你观赏我的武术"。要求学生向那些武术大师一样，说"谢谢"以示礼貌。

小提示

＊教师可在活动前先放一段中国功夫的录像，以激发学生的学习热情。

＊准备创可贴以备受伤时用。

笔记

10 好司机

游戏目的

学习有关方向和交通标志的中文词语

所需材料

方向盘或方向盘套；停车标志、左转标志和右转标志

基本词语

好 hǎo good	司机 sījī driver	停 tíng stop	左 zuǒ left
右 yòu right	转 zhuǎn turn	走 zǒu move, go	

游戏步骤

1. 让学生站成一队。

2. 队伍的第一个学生扮演司机，手中拿着方向盘。

3. 另一名学生把左手搭在司机的左肩上，同时右臂向前抡，就像车轮在转动。

4. 队里的每名学生都这样后一个搭着前一个的左肩，这样，大家一起组成了一辆"汽车"。

5. "汽车"先绕着教室转上几分钟。

6. 站在教室中间的老师出示停车标志，并喊"停车"，"车"就停下来。

7. 老师说"走"，"车"就开动。

8. 重复几次后，教师再说"右转"或"左转"，"车"就按指定的方向转弯。

9. 做这些动作的同时，司机要大声重复老师的指令，以练习这些词语。

10. 每个学生都要有机会当司机，并看哪个学生"车"开得最好。

游戏扩展

- 请从"情景词语"的"旅行方式"中选择更多有关车辆的中文词语。

笔记

11 猫捉老鼠

游戏目的

学用中文说数字（1到9）和日期

适合年龄 6—12

基本词语

猫 māo cat	抓 zhuā catch	老鼠 lǎoshǔ rat, mouse
一 yī one	一月 yīyuè January	二 èr two
二月 èryuè February	三 sān three	三月 sānyuè March
四 sì four	四月 sìyuè April	五 wǔ five
五月 wǔyuè May	六 liù six	六月 liùyuè June
七 qī seven	七月 qīyuè July	八 bā eight
八月 bāyuè August	九 jiǔ nine	九月 jiǔyuè September
月 yuè month	咬一口 yǎo yì kǒu bite, take a bite	

游戏步骤

1. 老师先教学生读几遍歌词：

老鼠老鼠一月一，　　　　老鼠老鼠二月二，
老鼠老鼠三月三，　　　　老鼠老鼠四月四，
老鼠老鼠五月五，　　　　老鼠老鼠六月六，
老鼠老鼠七月七，　　　　老鼠老鼠八月八，
老鼠老鼠九月九，　　　　抓住老鼠咬一口。

2. 学生手拉手站成一圈。假装"老鼠"的学生站在圈里，假装"猫"的学生站在圈外。

3. 老师和学生一起边甩手边高唱歌词。

4. 唱完最后一句，猫就马上开始抓老鼠。猫可以在圈里圈外跑来跑去，学生们胳膊下的空间就好像是一个一个的老鼠洞。

5. 猫必须在一分钟之内抓住老鼠，否则就算输掉了游戏。

小提示

＊为了帮助学生记住歌词，老师可将它抄在黑板上，或者印在纸上，发给每一个学生。

笔 记

12 剪刀、石头、布

游戏目的

学说关于手势的中文词语

所需材料

中文词卡

基本词语

手指 shǒuzhǐ finger	我 wǒ I, me	出 chū take out
剪刀 jiǎndāo scissors	石头 shítou stone	锤子 chuízi hammer
布 bù cloth		

我出……剪刀

我出……布

游戏步骤

1. 首先向学生解释不同手势的出法：
   剪刀是伸出并分开的食指和中指；
   石头（或锤子）是紧握的拳头；
   布是手指并拢、张开的手掌。

剪刀　　　　　　石头　　　　　　布

2. 告诉学生，每种手势在游戏中都有相互克制的关系：
   石头（或锤子）砸剪刀，石头赢；
   布包石头（或锤子），布赢；
   剪刀剪布，剪刀赢。

3. 让学生两人一组进行游戏，如果两人的手势一样，则重来，直到分出胜负。

4. 出手前，要求学生说"我出——"（"出"要拖得长一些，以示警告和挑战），然后同时用中文喊出手势。

5. 通过五局三胜的淘汰赛，决出班上的猜拳冠军。

小提示

* 另一种玩法是用动物来替代手势，如"老虎、棒子、鸡"，规则是：老虎吃鸡，鸡吃虫，虫吃棒子，棒子打老虎。这种玩法是没有手势的。

笔 记

13 跳 桥

游戏目的

学习用中文说高度

适合年龄 6—15

所需材料

类似于体操垫的大软垫

基本词语

跳	tiào	jump	矮	ǎi	short	中	zhōng	middle
高	gāo	high, tall	桥	qiáo	bridge			

游戏步骤

1. 将学生分为三人一组。

2. 两个学生坐在垫子上，脚掌相抵，形成一座桥；第三名学生要从桥上跳过去。

3. 桥可以有不同的高度，老师用中文告诉学生，它们是"矮桥"、"中桥"和"高桥"。

4. 老师出发"跳矮桥"、"跳中桥"、"跳高桥"的指令后，坐着的两个学生要把桥调节到适当的高度，另一名学生就要跳过桥去，但不可碰到桥。

5. 如果碰到桥，那么他就输了。这名学生就要换下做桥的同学，而刚才做桥的同学则去跳桥。

游戏扩展

● 请参见"情景词语"中的"建筑"，以选择更多中文词语。

小提示

＊桥要够高，以淘汰跳桥者。

＊准备创可贴以备受伤时用。

笔记

14 旗 手

游戏目的

学用有关交通标志的中文词语

适合年龄 6—12

所需材料

一面是停（STOP）、一面是慢（SLOW）的交通标志两个；
道路施工（ROAD WORK）的标志；
方向盘或方向盘套两个

基本词语

旗手 qíshǒu flagger	司机 sījī driver	停 tíng stop
慢 màn slow	道路 dàolù road	施工 shīgōng construction

27

游戏步骤 ▶

1. 将学生面对面排成两队，中间摆放桌椅，并竖起"道路施工（ROAD WORK）"的标志。

2. 老师拿一个写有"停/慢"的标志牌站在一队的前面，另一名学生则拿另一个标志牌站在另一队的前面，两人充当旗手。

3. 每队指定一名学生手拿方向盘扮演司机，其他学生则顺次拉住前面一位同学的衣服。

4. 司机转动方向盘，做出开车的样子。当看到本队旗手出示"停"的标志时，本队所有人都应停下来；当看到"慢"的标志时，则慢下来。

5. 旗手变换标志时，必须大声说出是"慢"还是"停"。注意："慢"与"停"要相呼应，即既要保证每次只有一个队伍（方向）的车通过施工的道路，也要保证永远都有车通过。

6. 某一队的旗手或司机犯错的话，另一队要大喊"道路施工"以示警戒。同时，他们所在的队就算输掉了游戏。

7. 学生要轮流当旗手和司机，重复游戏几次，最后，哪一队犯错最少，哪一队就获得本次游戏的胜利。

游戏扩展

● 请参考各州的《司机指南》，上面有更多的有关交通方面的词语。

小提示

＊如需了解学生在交通方面的背景知识，请参见"情景词语"中的"旅行方式"。

● 笔记

15 什么丢啦

游戏目的

学说关于人体的中文词语

适合年龄 6—15

所需材料

一个可拆卸头、手臂、身躯和腿的硬纸板做的大卡通；
几个相似的小卡通

基本词语

什么 shénme　what	丢/不见了 diū / bú jiàn le　missing, lost	头 tóu　head
胳膊 gēbo　arm	身子 shēnzi　body	腿 tuǐ　leg

胳膊丢啦！

游戏步骤

1. 老师把大卡通挂在墙上，并教学生如何用中文说头、胳膊、身子和腿。

2. 学生记住这些词后，就让他们转过身去，背对大卡通。这样他们就看不见这个大卡通了。

3. 老师拆下卡通的一部分。

4. 老师叫学生转过身，再次面对大卡通，用中文问卡通少了身体哪个部位：

什么丢啦？／什么不见啦？

5. 学生要一起回答：

……丢了。／……不见了。

6. 两三个学生一组，拿小卡通练习。

游 戏 扩 展

● 该游戏还可用来教学生用中文说"眼、耳、鼻、嘴"等。

● 请参考"情景词语"中的"人物描绘"，以选择更多中文词语。

笔 记

16 注　意

游戏目的

学习中文警示语"小心烫手"和"小心有电"

6－15 适合年龄

所需材料

"小心烫手"和"小心有电"的标志

基本词语

小心 xiǎoxīn　watch out, be careful

有电 yǒu diàn　electricity

烫手 tàng shǒu　burn one's hand

小心有电

小心烫手

小心烫手

游戏步骤

1. 老师先用英文向学生解释这些标志的意思，并用中文领读"小心烫手"、"小心有电"。

2. 游戏开始，老师出示标志，如"小心烫手"。当老师说出这个标志时，学生就开始晃手，但不允许晃身子。

3. 如果老师出示并说出"小心有电"，学生则开始晃身子，但不能晃手。

4. 老师越来越快地变换并说出标志，直到学生出错为止（如该晃手的时候晃了身子，或该晃身子的时候晃了手）。

5. 作为一个小小的惩罚，出错者要举着牌子在教室里跑一圈。

游 戏 扩 展

● 老师也可以用这个游戏教学生用中文说其他警示语，如"小心滑倒"、"油漆未干"等。

笔 记

17 猜灯谜

游戏目的

复习中文词语

适合年龄 6—15

所需材料

挂着谜条的灯笼、奖品

基本词语

灯笼 dēnglong　lantern

谜语 míyǔ　riddle

游戏步骤

1. 把灯谜挂在教室里，让学生看。

2. 如果学生知道谜底，就把谜面取下来交给老师，并说出谜底。

3. 如果学生答对了，就得到一个奖品；如果答错了，就把谜面挂回灯笼上去。

4. 最后看谁的奖品多。

小提示

* 告诉学生，"猜灯谜"是一项十分传统的中国文化活动。

* 谜面要用中文和英文写。比如：

1. Hundreds of lines, thousands of lines, they disappear while falling into a river.（The riddle is about a natural phenomenon.）

   千条线，万条线，掉进河里看不见。（打一自然现象）

   Answer: 雨（rain）

2. It has less longer pieces but more shorter ones. It is climbed with feet and grasped with hands.（The riddle is about an object.）

   长的少，短的多，脚去踩，手去摸。（打一物）

   Answer: 梯子（ladder）

3. It doesn't fear water in it, and doesn't fear fire under it. There is one in each kitchen.（The riddle is about an article for daily use.）

   上不怕水，下不怕火，家家厨房，都有一个。（打一生活用品）

   Answer: 锅（boiler）

4. When you take off your clothes, it puts on your clothes. When you take off your cap, it puts on your cap.（The riddle is about an article for daily use.）

   人脱衣服，它穿衣服；人脱帽子，它戴帽子。（打一生活用品）

   Answer: 衣帽架（clothes tree）

5. Its mouth looks like a small spade; its foot looks like a little fan; it waggles while walking; it swims like a boat.（The riddle is about an animal.）

   嘴像小铲子，脚像小扇子，走路左右摆，水上划小船。（打一动物）

   Answer: 鸭（duck）

6. Five brothers who live together, have different names each and have different heights. Who are they?（The riddle is about a body part.）

   五个兄弟，住在一起，名字不同，高矮不齐。（打一人体部位）

   Answer: 手指（fingers）

7. It sits just like it is sitting; it sleeps just like it is sitting; it stands just like it is sitting; it walks just like it is sitting.（The riddle is about an animal.）

   坐也是坐，卧也是坐，立也是坐，行也是坐。（打一动物）

   Answer: 青蛙（frog）

18 我的生日

游戏目的

学用中文说日期和时间

所需材料

日历；笔，如标记笔；印有一只钟的纸，刻度要用阿拉伯数字和中文数字表示

基本词语

我的 wǒ de my	生日 shēngrì birthday	年 nián year	月 yuè month
日 rì day	时/点 shí/diǎn hour	分 fēn minute	第一 dì yī first
第二 dì èr second	第三 dì sān third	第四 dì sì fourth	第五 dì wǔ fifth
一月 yīyuè January	二月 èryuè February	三月 sānyuè March	
四月 sìyuè April	五月 wǔyuè May	六月 liùyuè June	
七月 qīyuè July	八月 bāyuè August	九月 jiǔyuè September	
十月 shíyuè October	十一月 shíyīyuè November	十二月 shí'èryuè December	

游戏步骤

1. 要求学生把自己的生日（年/月/日）和出生时刻（时/分）写上一张纸上（不知道的学生可以问家长）。

2. 老师用中文和英文做一张包括姓名、年、月、日的生日表，并教学生如何用中文读。

3. 把学生的生日标在一张日历上。

4. 让学生把自己的出生时刻画在纸上的钟上，用时针和分针表示出来。

5. 让学生比较一下生日表，看谁是班里最大的，谁是最小的。

6. 如果生日相同，就比一下出生时刻。

游 戏 扩 展

● 老师也可用该游戏来教学生用中文说"我比他大/小"。

● 如需了解学生的生日文化，请参见"情景词语"中的"聚会时刻"。

笔 记

19 我最喜欢的节日

游戏目的

学习用中文说美国节日

所需材料

标注美国节日的日历和花形胶贴纸

适合年龄 6—15

基本词语

我的 wǒ de　my

节日 jiérì　holiday

马丁·路德日 Mǎdīng Lùdé Rì　Day of Martin Luther King, Jr

华盛顿诞辰日 Huáshèngdùn Dànchén Rì　Washington's Birthday

复活节 Fùhuó Jié　Easter

母亲节 Mǔqīn Jié　Mother's Day

劳动节 Láodòng Jié　Labor Day

哥伦布日 Gēlúnbù Rì　Columbus Day

万圣节 Wànshèng Jié　Halloween

最喜欢的 zuì xǐhuan de　favorite

元旦 Yuándàn　New Year's Day

父亲节 Fùqīn Jié　Father's Day

独立日 Dúlì Rì　Independence Day

感恩节 Gǎn'ēn Jié　Thanksgiving Day

老兵节 Lǎobīng Jié　Veteran's Day

圣诞节 Shèngdàn Jié　Christmas

游戏步骤

1. 老师先教学生用中文说美国的节日，然后让学生把胶贴纸贴在他最喜欢的节日上。

2. 请学生互换日历，并用中文说出自己同学最喜欢的节日。比如：

汤姆最喜欢的节日是圣诞节。

游 戏 扩 展

● 如需教授更多相关的中文词语或了解节日文化，请参见"情景词语"中的"度假时光"、"故事中的角色"、"故事中的动物"和"故事中的物品"。

笔 记

20 赛跑

游戏目的

复习中文词语；学用中文说"加油"

适合年龄 6—15

所需材料

若干中文词卡；与词卡数目相等的小盒子

基本词语

赛跑 sàipǎo　race

加油 jiā yóu　Come on!

游戏步骤

1. 在地上画一条起跑线。

2. 把学生分成两队，把所有放有中文词卡的小盒子放在50英尺开外的地方。

3. 老师坐在两队后的桌子旁。

4. 老师大喊"开始"，每队的第一个学生就跑到盒子那儿，拿上一个盒子，然后跑回老师的桌子旁。

5. 学生打开盒子，准确地读出里面的卡片。如果读不出卡片，就把卡片放在自己手里。

6. 队伍里的其他学生也按顺序这样做。

7. 等所有学生都跑完后，看看哪个队卡片多，哪个队就算输了。

8. 如果两个队卡片一样多，那就看是哪个队先完成比赛的。

9. 在比赛过程中，老师和学生都要大喊"加油"。

小提示

* 准备创可贴以备受伤时用。

笔 记

21 变 形

游戏目的

学用中文说简单形状

所需材料

长绳子

适合年龄 6—15

基本词语

形状 xíngzhuàng　shape	变化 biànhuà　change	正方形 zhèngfāngxíng　square
长方形 chángfāngxíng　oblong	圆形 yuánxíng　circle	椭圆形 tuǒyuánxíng　oval
三角形 sānjiǎoxíng　triangle	菱形 língxíng　diamond	

游戏步骤

1. 将绳子的两端系紧，让几个学生尽力将它举高。

2. 老师用中文说出形状，学生用绳子把它做出来。

3. 第一次做时，老师可帮助学生完成，接下来则要求学生自己做。

小提示

＊变化一个新形状时，学生也应仍高举着绳子。

＊至少需要8名学生才能完成圆形和椭圆形。

正方形

41

22 搭错车

游戏目的

学用中文说不同种类的车辆

适合年龄 6—15

所需材料

从约1.5英尺×3英尺的硬纸板上剪裁出来的小汽车、校车、卡车、警车、救护车和消防车；玩具、书包、安全帽、警帽、医师帽和消防员头盔

基本词语

我 wǒ I, me	乘车 chéng chē ride	错 cuò wrong
小汽车 xiǎo qìchē car	校车 xiàochē school bus	卡车 kǎchē truck
警车 jǐngchē police car	救护车 jiùhùchē ambulance	
消防车/救火车 xiāofángchē/jiùhuǒchē fire truck		

游戏步骤

1. 把两三把椅子放在一起，把剪裁好的车辆道具靠在上面。

2. 将各种车辆在教室里摆成一圈，学生则拿上或戴上不同的道具。

3. 教师说"小汽车"，拿玩具的学生就去"坐"小汽车。

4. 教师说"卡车"，戴安全帽的学生就去"坐"卡车，然后依次是：校车——书包，警车——警帽，救护车——医师帽，消防车/救火车——消防员头盔。

5. 学生互换道具，多进行几次游戏。

6. 在了解游戏过程后，教学生怎样用中文表达这些车辆。

7. 选错车辆的学生要对全班说：

我上错车啦！

游戏扩展

● 请参见"情景词语"中的"旅行方式"和"各行各业"，以选择更多中文词语。

笔记

23 麦当劳今天免费

游戏目的

学用中文说麦当劳的食品

所需材料

带插图的麦当劳英文或中文菜单、麦当劳食品画儿

基本词语

麦当劳 Màidāngláo McDonald's	今天 jīntiān today	免费 miǎn fèi free
汉堡包 hànbǎobāo hamburger	炸鸡 zhájī fried chicken	炸薯条 zháshǔtiáo French fries
松饼 sōngbǐng muffin	面包圈 miànbāoquān bagel	玉米饼 yùmǐbǐng burrito
苹果派 píngguǒpài apple pie	圣代 shèngdài sundae	饼干 bǐnggān cookie
可口可乐 kěkǒukělè Coca-cola	咖啡 kāfēi coffee	奶 nǎi milk
橙汁 chéngzhī orange juice		

我要可乐!

游戏步骤

1. 把教室装饰成麦当劳的样子。

2. 把讲台装饰成柜台，老师站在后面扮演服务员。

3. 学生先热身，学用中文说这些食品。

4. 学生走到柜台去点菜。如果有学生点不出来，可叫同学帮忙，直到拿到食品为止。

5. 看谁点的食品最多。

游 戏 扩 展

- Jack-in-Box、Subway、KFC、Taco Bell 的菜单都可以用在这个游戏中。

- 请参见"情景词语"中的"购物"，以了解学生的购物文化。

笔 记

24 蓝和黄

游戏目的

学用中文说颜色

所需材料

一张蓝色卡片和一张黄色卡片；蓝色玩具和黄色玩具

基本词语

蓝 lán blue	黄 huáng yellow

游戏步骤

1. 教师举起蓝色卡片或黄色卡片，并用中文说"蓝色"或"黄色"，学生则去找蓝色或黄色的玩具。

2. 找错颜色的学生要把这个词重复三遍。

游戏扩展

● 通过该游戏，可教学生更多关于颜色的中文词语。

25 找对位置

游戏目的

学用中文说不同食物

适合年龄 6—8

所需材料

水果、蔬菜、面包；
相应的中文词卡和三个标有"蔬菜"、"水果"和"面包"的、带开口的大盒子；
购物袋

基本词语

正确 zhèngquè right	位置 wèizhì position	蔬菜 shūcài vegetable
水果 shuǐguǒ fruit	面包 miànbāo bread	

游戏步骤

1. 让学生把每一类食物放进购物袋，在袋子上贴上相应的中文词卡并签名。

2. 叫学生把包好的食物放进标有对应中文的大盒子里去。

3. 搞错了的学生就算输掉了游戏，要重读词卡，并重新做一次。

游戏扩展

● 请参见"情景词语"中的"购物"，以选择更多中文词语。

47

26 天气预报员

游戏目的

学用中文说天气

所需材料

笔、纸；晴天、阴天、下雨和下雪的气象标志；教鞭

基本词语

天气 tiānqì weather	今天 jīntiān today	明天 míngtiān tomorrow
晴天 qíngtiān fine day	阴天 yīntiān cloudy day	下雨 xià yǔ rain
下雪 xià xuě snow	天气预报员 tiānqì yùbàoyuán weather reporter	

游戏步骤

1. 要求学生在家长的帮助下用英文记录或画出前两天的天气状况。

2. 课堂上，老师教学生怎样用中文说晴天、阴天、雨天和雪天，并出示气象标志给学生看。可用"今天晴天"的句型来教学。

3. 叫一名学生走到台前，用教鞭指示气象标志，并用中文报告天气。

4. 每名学生都要练习一次。

游 戏 扩 展

- 请参见"情景词语"中的"季节和天气"，以选择更多中文词语。

小提示

* 如果教室里有电视机，老师可先让学生看一会儿"气象频道"，以提高学生的学习兴趣。

笔 记

27 动物房屋经纪人

游戏目的

学用中文说家里的各个房间

适合年龄 9—15

所需材料

粉笔和纸板；动物面具；笔和纸

基本词语

房产经纪人 fángchǎn jīngjìrén   realtor

主卧室 zhǔ wòshì   master bedroom

卧室 wòshì   bedroom

游戏室 yóuxìshì   game room

洗衣房 xǐyīfáng   laundry

动物 dòngwù   animal

客厅/起居室 kètīng/qǐjūshì   living room

卫生间/厕所 wèishēngjiān/cèsuǒ   restroom

厨房 chúfáng   kitchen

书房 shūfáng   study room

壁橱 bìchú   closet

游戏步骤

1. 老师在室外空地上画一个大大的房屋建筑平面图。

2. 在每间房子上都竖起牌子，比如客厅、主卧室、卧室、卫生间、厨房、游戏室、书房、洗衣房，甚至壁橱。

3. 老师扮演经纪人，并要求学生们戴上动物面具，参观各个房间。

4. 老师要告诉学生每个房间用中文怎么讲。

5. 让其中一名学生来做经纪人，用中文介绍每个房间。

6. 每个学生都要做一回经纪人，以使所有学生都能掌握这些中文词语。

7. 回到教室后，要求学生画一张刚才的平面图，并告诉全班每个房间用中文怎么说。

游 戏 扩 展

● 请参见"情景词语"中的"家"，以选择更多中文词语。

笔 记

28 找对地方

游戏目的

学用中文说家具名称

适合年龄 6－15

所需材料

中文词卡；盘子；书；桌布、床单和枕头

基本词语

正确 zhèngquè right	地方 dìfang place	课桌 kèzhuō desk 椅子 yǐzi chair
餐桌 cānzhuō dinner table		床 chuáng bed 放 fàng put
哪儿 nǎr where	请坐 qǐng zuò take a seat, please	睡觉 shuì jiào sleep

游戏步骤

1. 在教室中放一张课桌和一把椅子。

2. 将四张课桌拼在一起，铺上桌布，周围放些椅子，使之看起来像一张餐桌。

3. 将六张课桌拼在一起，铺上床单，放上枕头，使之看起来像一张床。

4. 老师在每件家具上都放上相应的中文词卡。

5. 老师先带着学生在教室里走一圈，并告诉大家这些家具用中文怎么讲。

6. 叫学生排成一队，给第一个学生一个盘子，让他放到餐桌上去。这时，老师要问这名学生："放哪儿？"学生要用中文回答老师。

7. 给第二个学生一本书，让他放到课桌上去。老师要重复步骤6的提问。

8. 老师对第三个学生说："请坐！"这名学生就要坐到课桌或餐桌旁的椅子上。

9. 老师对第四个学生说："睡觉。"这名学生就要去躺在"床"上。

10. 每个学生都练习过一遍后，老师可以重复这个游戏，但速度应越来越快，学生的回答和动作也应越来越快，使课堂气氛达到高潮。

游戏扩展

● 请参见"情景词语"中的"家"，以选择更多中文词语。

小提示

＊准备创可贴以备受伤时用。

笔记

29 你是做什么的

游戏目的

学用中文说不同职业

所需材料

大幅警车、消防车、邮政车的图片，并印上中文；
警察、消防员和邮递员的帽子

基本词语

警车 jǐngchē　police car

邮政车 yóuzhèngchē　mail truck

消防车/救火车 xiāofángchē/jiùhuǒchē　fire truck

你 nǐ　you

警察 jǐngchá　police

邮递员 yóudìyuán　mailman

消防员 xiāofángyuán　fireman

错 cuò　wrong

游戏步骤

1. 让学生站成两队，保持足够距离，以形成一个空间。

2. 一队学生将一幅画儿举过头顶，走到中间。如果这幅画儿是一辆警车，他就说："警车"。

3. 另一队的一名学生就戴上警帽，走到警车那儿说："警察"。

4. 如果戴错了帽子，拿画儿那一队的学生就说："你错啦！"

5. 学生互换角色再练习几遍。

游 戏 扩 展

- 用这种方法也可以让学生练习句型"我是警察"或练习其他职业用中文怎么说。

- 请参见"情景词语"中的"旅行方式"和"各行各业"，以选择更多中文词语。

笔 记

30 鞋　展

游戏目的

学用中文描述事物

适合年龄 6—15

所需材料

纸；彩色铅笔、蜡笔或标记笔

基本词语

鞋 xié　shoe	展览 zhǎnlǎn　show

编号	1	2	3	4
颜色	绿	白	灰	红
型号	大	大	中	大
功能	跑	跑	跑	休闲
品牌	耐克	阿迪达斯	锐步	卡骆驰

游戏步骤

1. 让每个学生脱掉一只鞋，把它们挂在黑板上。
2. 老师根据这些鞋提问，比如颜色、大小、功能和品牌等，并据此做一个表。样表如下：

COLOR/颜色	SIZE/型号	FUNCTION/功能	BRAND/品牌
red	big	run	Nike
红	大	跑	耐克

3. 老师教学生用中文回答这些问题。例如：

   老师：他的鞋是什么颜色的？

   学生：红色的。

4. 要求学生给自己的鞋或别人的鞋画一张画儿，并用中文来描述。

游 戏 扩 展

- 请参见"情景词语"中的"服饰"，以选择更多中文词语。

小提示

*老师也可办衣展、袜展等。

笔 记

31 多 少 钱

游戏目的

学用中文说不同面值的钱

所需材料

几张价签；大量可充当商品的杂物；各种面值的仿真钱币

基本词语

一 yī one	五 wǔ five	十 shí ten	二十 èrshí twenty
五十 wǔshí fifty	一百 yìbǎi one hundred	美元 měiyuán dollar	
一分 yì fēn one cent	五分 wǔ fēn one nickel	一毛 yì máo one dime	
两毛五 liǎng máo wǔ one quarter	角 jiǎo 10 cent	多少钱 duōshao qián how much is it	

游戏步骤

1. 把几张桌子拼在一起，形成一个柜台，把商品和价签放在桌子上面。

2. 发给每个学生很多钱。

3. 先教学生用中文说："这个多少钱？"然后学生叫扮成顾客，老师则扮成收银员。

4. 游戏从学生说"这个多少钱？"开始。

5. 老师要用中文告诉学生价钱，比如，"10美元"，并帮助学生选出一张10美元的钞票。

6. 鼓励学生大量购物，以使他们练习用中文说不同面值的钱。

7. 购物最多的学生获胜。

游戏扩展

● 请参见"情景词语"中的"购物"，以选择更多中文词语。

小提示

＊游戏前，老师不要告诉学生怎样用中文说这些钱。

笔记

32 面包和饼干

游戏目的

学说中文里有关食物的词语

所需材料

面包和饼干等食品

基本词语

面包 miànbāo bread   饼干 bǐnggān cookie

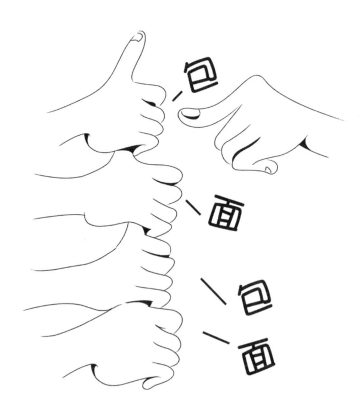

游戏步骤

1. 老师让一个学生紧握拳头并竖起拇指，让另一个学生紧紧握住前一个学生的拇指。

2. 所有的学生都参与后，大家的拳头就会排成一个队。

3. 第一个学生一边按顺序数拳头，一边用中文说"面包，面包，吃面包"。

4. 每数一个拳头，就说一个汉字。被数到最后一个汉字的学生就可以离开去吃面包了。

5. 看看谁是最后一个吃到面包的，然后用"饼干"重新开始游戏。

游 戏 扩 展

● 可从"情景词语"的"食物"中选取其他一些中文词语。

小提示

* 为保持韵律，本游戏要求用双音节词语。比如，"汉堡包"应说成"汉堡"，"比萨饼"应说成"比萨"。

笔 记

33 麻将大师

游戏目的

复习学过的中文数词；学习生词

适合年龄 6–15

所需材料

麻将牌

基本词语

麻将 májiàng mah-jong	一 yī one	二 èr two	三 sān three
四 sì four	五 wǔ five	六 liù six	七 qī seven
八 bā eight	九 jiǔ nine	万（萬）wàn ten thousand	
条 tiáo bar	筒 tǒng coin	东 dōng east	南 nán south
西 xī west	北 běi north	中 zhōng middle	发 fā rich
白 bái white			

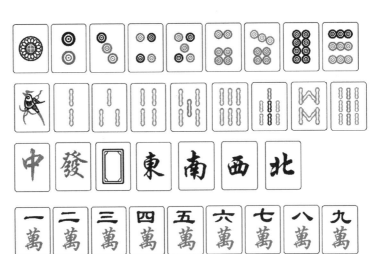

游戏步骤

1. 将学生按"万"、"筒"、"条"分为三组。

2. 在每一组里，每个学生要同时闭着眼睛拿起一张牌。

3. 所有学生同时睁开眼，看谁的牌数最大。每个学生都要报数，如"三筒、五万、九条"。

4. 叫学生换组，继续游戏，直到每个学生在三个组里都玩过一回。

5. 教师把麻将里的"东、南、西、北、中、发、白"写在黑板上，教学生读。

6. 叫学生从牌里把它们挑出来。

小提示

*为使活动更有意思，可要学生闭着眼摸牌，不准看，说出牌来。摸得最准的为胜者。

笔记

34 好耳朵

游戏目的

学用中文说乐器，并体验中国音乐

所需材料

二胡和琵琶的图片；吉他和小提琴；用上述乐器演奏的音乐

基本词语

好 hǎo   good, well

耳朵 ěrduo   ear

小提琴 xiǎotíqín   violin

吉他 jítā   guitar

二胡 èrhú   *erhu*, two-stringed Chinese fiddle

琵琶 pípá   *pipa*, a plucked string musical instrument

琵琶

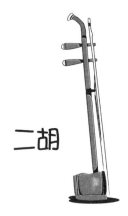

二胡

小提琴

吉他

游戏步骤

1. 老师放音乐，用英文和中文告诉学生这是用何种乐器演奏的。

2. 再放几遍音乐，学生要用中文说出演奏的乐器是什么。

游 戏 扩 展

● 老师也可用此法教学生说其他乐器。

小提示

＊让学生听听用西洋乐器和中国乐器演奏同样的曲子会很有意思。

＊如有可能，应让学生看看中国乐器的实物。

笔 记

35 盲人摸象

游戏目的

复习学过的关于动物和身体的中文词语

适合年龄 6－15

所需材料

动物玩具；布条

基本词语

头 tóu head	脖子 bózi neck	身子 shēnzi body
胳膊 gēbo arm	手 shǒu hand	腿 tuǐ leg
脚 jiǎo foot	狗 gǒu dog	猫 māo cat
熊 xióng bear		

游戏步骤

1. 用布条蒙住学生的眼睛，给他一个动物玩具触摸。

2. 让学生用中文说出他摸的是什么动物，他现在摸的是动物的哪一部分。

游 戏 扩 展

● 请参见"情景词语"中的"人物描绘"、"宠物"、"农场动物"、"海洋生物"、"野生动物"、"鸟类"和"小动物"，以选择更多中文词语。

小提示

＊也可用其他种类的玩具（非动物）。

笔 记

36 我在中国的留影

游戏目的

学用汉语说中国景点

适合年龄 6－15

所需材料

长城、兵马俑和布达拉宫的大幅图片；
数码相机和幻灯机

基本词语

我的 wǒ de　my	照片 zhàopiàn　photo	中国 Zhōngguó　China
长城 Chángchéng　the Great Wall	兵马俑 bīngmǎyǒng　terracotta warriors and horses	
布达拉宫 Bùdálā Gōng　Potala Palace	北京 Běijīng　Beijing	西安 Xī'ān　Xi'an
拉萨 Lāsà　Lhasa	留影 liú yǐng　take a photo as a souvenir	

游戏步骤

1. 叫每个学生在图片前留影。

2. 用幻灯机播放学生的照片。

3. 教学生用中文说这些背景。例如：

这是汤姆在长城的留影。

这是北京。

这是玛丽在西安。

这是玛丽和兵马俑的留影。

游 戏 扩 展

- 更换其他背景，学习新词。
- 请参见"情景词语"中的"在公园"，以选择更多中文词语。

小提示

＊老师可播放关于中国风景的录像。

＊可以在图片前拍一张中文班的"全家福"。

笔 记

37 怪娃娃

游戏目的

学习关于服装的中文词语

所需材料

有帽子、T恤、外套、裤子、内衣、鞋和袜子的玩偶

基本词语

帽子 màozi　cap, hat	T恤衫 T-xùshān　T-shirt	外衣 wàiyī　coat
裤子 kùzi　pants	内裤 nèikù　underwear	鞋 xié　shoe
袜子 wàzi　socks, stockings	怪 guài　strange	娃娃 wáwa　doll

脱掉裙子

游戏步骤

1. 给每个学生发一个玩偶。

2. 老师也拿一个玩偶作示范，说出每一件衣服的中文名称，说一件，脱一件。

3. 学生也照着老师的样子，一边说，一边给自己手中的玩偶脱衣服。

4. 老师把学生从玩偶身上脱下来的衣服收集起来，这样一来，玩偶们就成了裸体的，样子也怪怪的。

5. 学生用中文请老师把衣服一件一件地还给他们，直到玩偶重新穿上所有的衣服。

6. 当每个学生都给玩偶穿好衣服后，老师和其他一两个学生一起来检查。

7. 如果发现玩偶的衣服有落下的，全班其他学生就对这个学生说："这是一个怪娃娃。"

游戏扩展

- 请参见"情景词语"中的"服饰"，以选择更多中文词语。

笔记

38 四季

游戏目的

学用中文说四季和其他词语

适合年龄 6—15

所需材料

开花、游泳、落叶和下雪等场景的图片

基本词语

季节 jìjié season	春天 chūntiān spring	夏天 xiàtiān summer
秋天 qiūtiān fall	冬天 dōngtiān winter	花 huā flower
游泳 yóu yǒng swim	树叶 shùyè leaf	下雪 xià xuě snow

游戏步骤

1. 老师向学生展示图片，并问学生这些图片描绘的是哪个季节。

2. 当学生都答对以后，老师就告诉学生这些季节用中文该怎么说，学生则跟着老师重复。

3. 老师教学生说下列描写季节的短语：

春天开花，夏天游泳，秋天落叶，冬天下雪。

4. 在没有老师提示的情况下，学生用中文重复图片上的季节和有关季节的短语。

游 戏 扩 展

- 请参见"情景词语"中的"季节和天气"，以选择更多中文词语。

笔 记

39 我的州

游戏目的

学用中文说美国的各个州

适合年龄 13–15

所需材料

美国地图或学生所住城市的地图

基本词语

亚拉巴马州	Yàlābāmǎ Zhōu	Alabama	(AK)
阿拉斯加州	Ālāsījiā Zhōu	Alaska	(AL)
亚利桑那州	Yàlìsāngnà Zhōu	Arizona	(AZ)
阿肯色州	Ākěnsè Zhōu	Arkansas	(AR)
加利福尼亚州	Jiālìfúníyà Zhōu	California	(CA)
科罗拉多州	Kēluólāduō Zhōu	Colorado	(CO)
康涅狄格州	Kāngnièdígé Zhōu	Connecticut	(CT)
特拉华州	Tèlāhuá Zhōu	Delaware	(DE)
佛罗里达州	Fóluólǐdá Zhōu	Florida	(FL)
佐治亚州	Zuǒzhìyà Zhōu	Georgia	(GA)
夏威夷州	Xiàwēiyí Zhōu	Hawaii	(HI)
爱达荷州	Àidáhé Zhōu	Idaho	(ID)
伊利诺伊州	Yīlìnuòyī Zhōu	Illinois	(IL)
印第安纳州	Yìndì'ānnà Zhōu	Indiana	(IN)
爱荷华州	Àihéhuá Zhōu	Iowa	(IA)
堪萨斯州	Kānsàsī Zhōu	Kansas	(KS)
肯塔基州	Kěntǎjī Zhōu	Kentucky	(KY)
路易斯安那州	Lùyìsī'ānnà Zhōu	Louisiana	(LA)
缅因州	Miǎnyīn Zhōu	Maine	(ME)

基本词语

马里兰州	Mǎlǐlán Zhōu	Maryland	(MD)
马萨诸塞州	Mǎsàzhūsài Zhōu	Massachusetts	(MA)
密歇根州	Mìxiēgēn Zhōu	Michigan	(MI)
明尼苏达州	Míngnísūdá Zhōu	Minnesota	(MN)
密西西比州	Mìxīxībǐ Zhōu	Mississippi	(MS)
密苏里州	Mìsūlǐ Zhōu	Missouri	(MO)
蒙大拿州	Méngdàná Zhōu	Montana	(MT)
内布拉斯加州	Nèibùlāsījiā Zhōu	Nebraska	(NE)
内华达州	Nèihuádá Zhōu	Nevada	(NV)
新罕布什尔州	Xīn Hǎnbùshén'ěr Zhōu	New Hampshire	(NH)
新泽西州	Xīn Zéxī Zhōu	New Jersey	(NJ)
新墨西哥州	Xīn Mòxīgē Zhōu	New Mexico	(NM)
纽约州	Niǔyuē Zhōu	New York	(NY)
北卡罗来州	Běi Kǎluólái Zhōu	North Carolina	(NC)
北达科他州	Běi Dákētā Zhōu	North Dakota	(ND)
俄亥俄州	Éhài'é Zhōu	Ohio	(OH)
俄克拉荷马州	Ékèlāhémǎ Zhōu	Oklahoma	(OK)
俄勒冈州	Élègāng Zhōu	Oregon	(OR)
宾夕法尼亚州	Bīnxīfǎníyà Zhōu	Pennsylvania	(PA)
罗得岛州	Luódédǎo Zhōu	Rhode Island	(RL)
南卡罗来纳州	Nán Kǎluóláinà Zhōu	South Carolina	(SC)
南达科他州	Nán Dákētā Zhōu	South Dakota	(SD)
田纳西州	Tiánnàxī Zhōu	Tennessee	(TN)
得克萨斯州	Dékèsàsī Zhōu	Texas	(TX)
犹他州	Yóutā Zhōu	Utah	(UT)
佛蒙特州	Fóméngtè Zhōu	Vermont	(VT)
弗吉尼亚州	Fújíníyà Zhōu	Virginia	(VA)
华盛顿州	Huáshèngdùn Zhōu	Washington	(WA)
西弗吉尼亚州	Xī Fújíníyà Zhōu	West Virginia	(WV)
威斯康星州	Wēisīkāngxīng Zhōu	Wisconsin	(WI)
怀俄明州	Huái'émíng Zhōu	Wyoming	(WY)

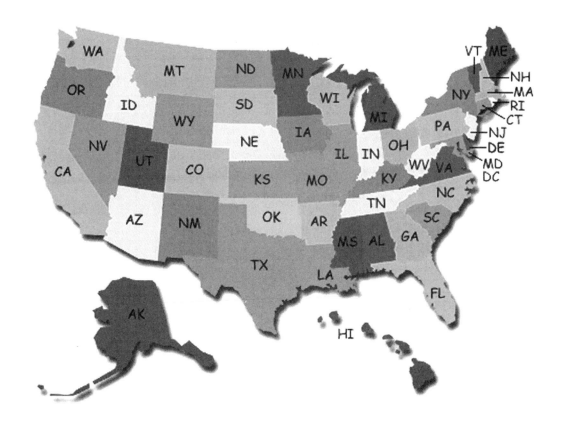

1. 把大地图挂在墙上，然后发给每个学生一张小地图。
2. 老师用英语问每个学生住在哪个州或哪个城市，并在地图上把它找出来。
3. 老师告诉学生用中文怎样说这个州或城市的名字。
4. 叫学生依次走到大地图前，找出他所在的那个州或城市，并用中文说出来。

小提示

* 如果老师是从中国来的，还可以在墙上挂一张中国地图，告诉学生自己所在的省和城市以及临近的省和城市。

40 他在做什么

游戏目的

学说中文动词

适合年龄 6—15

所需材料

写有动作提示的卡片

基本词语

刷牙 shuā yá brush one's teeth	洗脸 xǐ liǎn wash one's face	走路 zǒu lù walk
洗澡 xǐ zǎo take a bath	跑步 pǎo bù run	吃饭 chī fàn eat
打棒球 dǎ bàngqiú play baseball	打篮球 dǎ lánqiú play basketball	拳击 quánjī boxing
吵架 chǎo jià quarrel	哭 kū cry	笑 xiào laugh
打招呼 dǎ zhāohu greet	跳舞 tiào wǔ dance	喝 hē drink

游戏步骤

1. 老师在游戏前必须写好准备做哪些动作的卡片，比如"刷牙"。

2. 挑选一名学生到台上来。

3. 上台的学生在看了老师卡片上的动词后，要把这个动作表演出来。

4. 下面的学生猜这名学生表演的是什么。

5. 猜中了的学生得一分，并上台模仿卡片上的下一个动作。

6. 每猜中一个词，老师就把它的中文写在黑板上，带学生一起读。

游戏扩展

● 请参见"情景词语"中的"周末"，以选择更多中文词语。

笔记

41 机 器 人

学习并复习中文动词

适合年龄 6—15

基本词语

立正 lìzhèng	Attention!	敬礼 jìng lǐ	salute	正步走 zhèng bù zǒu	march
坐下 zuòxia	sit down	起立 qǐlì	stand up	绕圈走 rào quān zǒu	walk in a circle
拍 pāi	clap	手 shǒu	hand	跑 pǎo	run
开合跳 kāi hé tiào	jump jacks			游泳 yóu yǒng	swim

坐下

正步走

敬礼

79

游戏步骤

1. 老师用中文发出口令，并像机器人一样做动作。如立正、敬礼、正步走、坐下、起立、绕圈走、拍手、跑、开合跳、游泳等。

2. 学生照着老师的样子做两遍。

3. 老师发出口令，学生自己做动作。

4. 做错的学生可适当惩罚，如把某一个动作连续做10遍。

游戏扩展

● 请参见"情景词语"中的"周末"和"在公园"，以选择更多中文词语。

小提示

＊放一些机器人的录像，可让活动更有趣。

笔记

42 闻味道

游戏目的

学习用中文说味道

适合年龄 6—15

所需材料

8个不透明的小空罐子;

4种好闻的东西，如洗发液、糖浆、香皂、香;

4种难闻的东西，如醋、草药、汽油、橡胶

基本词语

好闻 hǎowén	it smells good	难闻 nánwén	it smells bad	洗发液 xǐfàyè	shampoo
醋 cù	vinegar	糖浆 tángjiāng	syrup	香皂 xiāngzào	soap
香 xiāng	incense	草药 cǎoyào	herbal medicine	汽油 qìyóu	gasoline
橡胶 xiàngjiāo	rubber				

游戏步骤

1. 把所有罐子放在一个大纸袋里。

2. 老师在黑板上写下"好闻"和"难闻"，或画一张笑脸代表好闻，一张哭脸代表难闻。

3. 教学生用中文说这两个词，以及那些要闻的东西的中文名称。

4. 让学生挨个走上台来，老师把学生的眼睛蒙住，拿出一个好闻的（如香波）或难闻的（如醋）罐子放到学生鼻子底下。

5. 学生用中文说"……好闻"、"……难闻"。

游 戏 扩 展

● 请参见"情景词语"中的"购物"和"食物"，以选择更多中文词语。

笔 记

43 危险和安全

游戏目的

学习生词"危险"和"安全"

所需材料

写有"危险"和"安全"的旗子或卡片

适合年龄 6 – 12

珍妮坐车不系安全带。

危险 □　安全 □

游戏步骤

1. 帮助学生了解"危险"和"安全"的意思，然后告诉他们用中文怎么说。

2. 发给学生写有"危险"和"安全"的旗子或卡片。

3. 老师用简单的英文或中文描述一个情况，让学生判断这个情况是危险的还是安全的。

4. 如果危险，就举起"危险"；如果安全，就举起"安全"。

小提示

* 建议描写情况的句子如下：

汤姆红灯时横过马路。 Tom is crossing the road at the red light.

玛丽在玩儿尖刀。 Mary is playing with a sharp knife.

珍妮坐车不系安全带。 Jenny is riding a car without the safety belt fastened.

海伦戴头盔骑自行车。 Helen is riding a bike with a helmet.

笔 记

44 守 时

游戏目的

学说中文句型"我7点起床"

适合年龄 6－15

所需材料

笔；作息表

基本词语

起床 qǐ chuáng   get up

放学 fàng xué   (of school) let out

吃午餐 chī wǔcān   have lunch

上中文课 shàng Zhōngwén kè   have a Chinese class

点 diǎn   o'clock

上学 shàng xué   go to school

吃早餐 chī zǎocān   have breakfast

吃晚餐 chī wǎncān   have supper

睡觉 shuì jiào   go to sleep

起床	7:00
吃早饭	7:20
坐车	7:50
上中文课	9:00
吃午饭	12:00
下午茶	15:30
瑜伽课	17:30
晚饭	19:00
睡觉	22:00

85

游戏步骤

1. 学生先看看老师的作息表，这样就可以更好地了解作息表的意思。

2. 让学生想想他们每天起床的时间、睡觉的时间，以及每天惯常做某件事情的时间。

3. 让学生把这些时间都写在纸上。

4. 学生依次起立告诉全班同学，他每天什么时候起床；什么时候吃早饭、午饭和晚饭；什么时候上中文课；什么时候睡觉。

小提示

＊这个游戏还可以帮助学生学习中文里有关时间的词语。

笔记

45 给学校拍照

适合年龄 13—15

游戏目的

学用中文句型"我照的体育馆最好"

所需材料

数码相机；笔；用中文印着学校各个场所的作业纸；电脑和投影仪

基本词语

拍照 pāi zhào take photos	我的 wǒ de my	学校 xuéxiào school
体育馆 tǐyùguǎn gym	教室 jiàoshì classroom	衣物箱 yīwùxiāng locker
操场 cāochǎng playground	卫生间/厕所 wèishēngjiān/cèsuǒ restroom	
图书馆 túshūguǎn library	谁的 shéi de whose	最好 zuì hǎo best
照 zhào take (a picture / photo of)		

87

1. 要求学生用数码相机在学校里按照体育馆、教室、衣物箱、操场、图书馆和卫生间的顺序拍照。

2. 老师用电脑和投影仪把这些照片放出来。

3. 老师要求学生选出最好的一张，并问他们：

   谁照的体育馆最好？这张？这张？还是这张？

4. 学生投票选出最好的，并说"这张"。

5. 老师宣布拍摄者的名字，这名学生就在作业纸上用中文标注一下。

6. 被选出的拍摄者起立对大家说：

   我照的体育馆最好！

7. 其他场所的照片也按这个步骤来做。

8. 老师把所有场所最好的照片打印出来，在背面写上中文，作为奖励发给拍摄者。

游戏扩展

● 请参见"情景词语"中的"学校设备"和"学校一日"，以选择更多中文词语。

笔记

46 相似基因

游戏目的

学用中文句型"像"、"和…… 一样"

所需材料

照片；镜子；笔和纸

适合年龄 9—15

基本词语

头发 tóufa　hair
嘴巴 zuǐba　mouth
下巴 xiàba　chin
爷爷 yéye　grandpa

眼睛 yǎnjing　eye
耳朵 ěrduo　ear
爸爸 bàba　dad
奶奶 nǎinai　grandma

鼻子 bízi　nose
脸蛋 liǎndàn(r)　cheek
妈妈 māma　mom

1. 请学生把爸爸妈妈、爷爷奶奶的照片收集起来，然后拿着笔和纸，坐在镜子前。

2. 请学生仔细观察自己的脸部特征，注意脸型大小和肤色。

3. 让学生在纸上画一张自己的脸，或贴一张自己的照片，并在自己认为与爸爸妈妈或爷爷奶奶特别相似的地方画上一个标记。

4. 学生逐个站起来，用中文来描述自己的画儿。要用上句型：

    我的眼睛像爸爸。

    我的嘴巴和妈妈的一样。

5. 在画儿上签上名字，带给爸爸妈妈或爷爷奶奶。

游戏扩展

● 请参见"情景词语"中的"周末"和"人物描绘"，以选择更多中文词语。

● 可用这个方式要求学生比较衣服、铅笔之类，以得到更多的练习机会。

笔 记

47 我的相册

游戏目的

学说句型"我在……里"

适合年龄 6—12

所需材料

相片；彩色复印机；订书机；胶水；笔和纸

基本词语

我的 wǒ de my	照片 zhàopiàn photo	书 shū book
家 jiā home	公园 gōngyuán park	学校 xuéxiào school
车 chē car	在 zài at, in (a place or time)	里 lǐ in, inside

我在家。

游戏步骤 ▶

1. 要求学生在家里找几张旧照片，顺序是在家、公园、学校和汽车里。

2. 用纸做一个空白本。

3. 让学生给这些旧照片修边，把它们贴在本子上，并记录下他是在什么地方。

4. 照片贴好后，老师帮学生整理一下相册，然后用中文给每张照片做注脚。

5. 让学生把相册拿给其他同学看，并用中文说：

　　我在学校里。

　　我在车里。

游 戏 扩 展

● 根据学生的进步程度，老师可选择更多的词语来练习。请参见"情景词语"中的"周末"、"在公园"、"建筑"和"度假时光"。

笔 记

48 当我长大了

游戏目的

学说中文句型"我想……"、"我要……"

适合年龄 9—15

所需材料

笔和纸

基本词语

当 dāng　when	长大 zhǎngdà　grow up	我 wǒ　I, me
想 xiǎng　want (to)	结婚 jié hūn　marry	住 zhù　live
工作 gōngzuò　job	医生 yīshēng　doctor	教师 jiàoshī　teacher
歌手 gēshǒu　singer	邮差 yóuchāi　mailman	消防队员 xiāofáng duìyuán　fireman
棒球明星 bàngqiú míngxīng　baseball star		

我想当一名医生。

游戏步骤

1. 让学生相互之间分享、比较一下自己的梦想。可让学生考虑下面的问题：

我想和什么样的人结婚？

我要住在哪儿？

我想做什么工作？

2. 叫学生用英语把回答中的重点词写下来，或画一张画儿来表达。

3. 老师帮助学生翻译成中文，并要求学生记住。

游戏扩展

- 学生也可通过这个游戏学说"谁"、"在哪儿"和"什么"。比如：

谁想做教师？

你要在哪里做歌手？

你要做什么？

- 请参见"情景词语"中的"各行各业"，以选择更多中文词语。

笔记

49 跳 房 子

游戏目的

学用中文说"我是……"

适合年龄 6—12

所需材料

粉笔和蜡笔

基本词语

我 wǒ　I, me　　　　你 nǐ　you　　　　他 tā　he, him

她 tā　she, her　　　它 tā　it　　　　是 shì　be

跳 tiào　jump, hop　　房子 fángzi　house

游戏步骤

1. 老师在地上画两个正方形和一个长方形，并在每个正方形里写上一个汉字。

2. 学生单脚跳进一个正方形，同时说出里面的汉字"我"。

3. 用同一只脚跳进下一个正方形，并说出下一个汉字"是"。

4. 学生双脚跳进一个长方形，同时用英文或中文说出自己的名字。这样他所说出的句子就是"我是汤姆"。

5. 如果学生的鞋子踩到了方形的边缘，那么他就输掉了游戏。

游戏扩展

- 通过想象，老师可变化长方形和正方形的数量，来增加学生中文词、句的练习。

小提示

* 长方形里不要写字。

* 用此游戏训练学生说主谓宾结构的简单句，效果也很好。

笔记

50 动物园

游戏目的

学说中文句型"这是/那是……"

所需材料

动物面具；小旗子

基本词语

动物园 dòngwùyuán zoo	猫 māo cat	狗 gǒu dog	鸡 jī cock
鸭 yā duck	老虎 lǎohǔ tiger	这 zhè this	那 nà that
是 shì be			

1. 和学生一起用桌椅把教室分为两半。

2. 戴面具的学生站在一边，模仿他所戴面具上的动物的叫声。

3. 另一部分学生则扮成动物园里的游客。

4. 老师拿着小旗子，扮成动物园里的导游。

5. 老师说："这是猫"，戴猫面具的学生就"喵喵"叫两声；老师说："那是狗"，戴狗面具的学生就"汪汪"叫两声。说到面具上的哪种动物，哪种动物就叫两声。

6. 互换角色，即扮游客的学生扮成动物，重复这个游戏。

游戏扩展

● 请参见"情景词语"中的"宠物"、"农场动物"、"野生动物"和"鸟类"，以选择更多中文词语。

笔记

51 谁是最后一个

游戏目的

学习"动宾词组"

适合年龄 6–15

所需材料

印有相关句型的练习纸

基本词语

谁 shéi who

举/抬 jǔ/tái raise, lift

耳朵 ěrduo ear

手 shǒu hand

最后 zuìhòu last

摇 yáo shake

鼻子 bízi nose

头 tóu head

摸 mō touch, feel

洗 xǐ wash

腿 tuǐ leg

脸 liǎn face

摸耳朵

99

游戏步骤

1. 学生排成一队，按老师的指令做动作。

2. 老师一定要说动宾词组，并且越说越快。建议内容如下：

摸耳朵／摸鼻子／举右手／抬腿／摇头／洗脸

3. 做错的学生要离开队伍，队伍里的最后一位学生获胜。

4. 老师领着学生一句一句地读练习纸上的句型，巩固所学内容。

游 戏 扩 展

● 老师用这个思路，可创造更多练习句型的游戏。

笔 记

52 SAP

游戏目的

学说中文"主语+状语+谓语"结构

适合年龄 9—15

所需材料

若干张写有学生名字的卡片,做主语;8张中文卡片,做状语;8张中文卡片,做谓语

游戏步骤

1. 将卡片上的词语组成8个合情理、合逻辑的句子,例如:

玛丽在家吃饭。

汤姆在医院看病。

珍妮在河里游泳。

大卫在公园骑马。

玛丽在学校跳舞。

汤姆在操场打球。

珍妮在洗衣房洗衣服。

大卫在卫生间刷牙。

2. 把排好的句子给学生看。

3. 叫学生读这些句子并理解它们的意思。

4. 将每一类卡片打乱，放在桌上，卡片背面对着学生。

5. 请一名学生按主语、状语和谓语的次序任选三张卡片，向全班展示并读出来。

6. 新组成的句子也许会很滑稽，例如：

大卫在洗衣房游泳。

7. 让班上的每一个学生都去抽取卡片，并读出自己的句子。

小提示

＊ 在美国俗语中，sap意指某个人是傻子。这里指英文主语、状语和谓语，采用单词第一个字母的缩写。

笔 记

53 最大的脚

游戏目的

学说带"最"的中文句型

所需材料

笔和纸；尺子；粉笔

适合年龄 6—15

基本词语

谁的 shéi de whose	脚 jiǎo foot	手 shǒu hand	身体 shēntǐ body
最 zuì most, -est	大 dà big, large	小 xiǎo small, little	

103

游戏步骤

1. 叫学生脱掉鞋袜，给自己画一个脚印。

2. 比较一下全班的脚印，看谁的最大。老师教学生说：

　　谁的脚最大？

　　我的脚最大。

3. 让学生再画手印，并练习这个句型和中文"手"。

4. 叫三名学生躺在地上，其他同学给他们画身印。

5. 用尺子量一下，看谁的身体最大。

游戏扩展

● 请参考"情景词语"中的"人物描绘"，里面有更多关于人体的中文词语。

笔 记

54 中国画和油画

游戏目的

学用中文说"这是……，还是……"

6—15
适合年龄

所需材料

大量油画和国画；油画材料和国画材料；彩色标记笔和彩色蜡笔

基本词语

油画 yóuhuà　　oil painting　　　　　　中国画 zhōngguóhuà　Chinese painting

这是……，还是……？ Zhè shì……，háishi……？　Is this … or …?

游戏步骤

1. 向学生展示几张油画和中国画，并告诉他们哪种是油画，哪种是中国画。

2. 指着一张画儿，用中文问学生：

> 这是油画，还是中国画？

3. 叫每个学生画一张油画和一张中国画。如果时间不够，也可叫学生用彩色标记笔或蜡笔画画儿。

小提示

* 建议多向学生展示中国画，以增进他们对中国文化的了解。

55 我 能 跳

游戏目的

学说中文句型"我能……"

适合年龄 6—8

基本词语

跳 tiào jump, hop	单腿跳 dān tuǐ tiào hop	跑 pǎo run
我 wǒ I, me	能 néng can, be able to	

106

游戏步骤

1. 将学生分为人数相同的两队，坐在两行椅子上；再把一把椅子放在教室的另一头。

2. 两队各派一名学生站起来，听教师发出的动作口令，比如"跳"。

3. 这两个学生就要跳到教室那头的椅子那儿，然后再跳回来，坐回自己的椅子，高喊"我能跳！"

4. 第一个完成老师要求的动作的，为本队得一分。

5. 继续比赛，老师每次变换不同的口令，如"跑、单腿跳"。

6. 哪一队总分最高，哪一队就获胜。

游戏扩展

● 请参考"情景词语"中的"在公园"，以选择更多中文词语。

小提示

＊准备创可贴以备受伤时用。

笔 记

56 把药吃了

游戏目的

学用"把"字句

适合年龄 6—15

所需材料

几张印有学生名字的卡片；8张写着名词的卡片；8张写着动词的卡片

基本词语

把 bǎ *used to shift the object before the verb, which must be reduplicated or accompanied by some other words or expressions*

药 yào medicine	水 shuǐ water	洗 xǐ wash	打 dǎ beat
老虎 lǎohǔ tiger	踢 tī kick	种 zhòng plant	扔 rēng throw
刀 dāo knife	付钱 fù qián pay		

玛丽把药吃了。

游戏步骤

1. 老师向学生展示下列句子，并把它们转化成"把"字句。例如：

玛丽吃了药。—— 玛丽把药吃了。（Mary took her medicine.）

汤姆喝了水。—— 汤姆把水喝了。（Tom drank the water.）

珍妮洗了衣服。—— 珍妮把衣服洗了。（Jenny washed her clothes.）

大卫打了老虎。—— 大卫把老虎打了。（David beat a tiger.）

玛丽踢了猫。—— 玛丽把猫踢了。（Mary kicked a cat.）

汤姆种了树。—— 汤姆把树种了。（Tom planted a tree.）

珍妮扔了刀。—— 珍妮把刀扔了。（Jenny threw away a knife.）

大卫付了钱。—— 大卫把钱付了。（David paid.）

2. 带领学生朗读，并理解句意。

3. 叫第一名学生把姓名词卡打乱，第二名学生把动词卡片打乱，第三名学生则把名词卡片打乱。卡背向外，放在桌子上。

4. 叫另一名学生抽一张姓名卡，再抽一张动词卡，最后抽一张名词卡。

5. 要求这名学生按照"名字—名词—动词"的顺序把卡拿好，然后展示给全班看。

6. 老师叫一名坐在下面的学生站起来，用"把"字句读卡。如：

玛丽把药吃了。

7. 重复游戏几次，以使每个学生都有机会读"把"字句。

笔 记

_____

_____

_____

_____

_____

_____

57 我们相配

理解并练习汉字结构

所需材料

写有汉字部件的卡片

汉字练习

游戏步骤

1. 按人数将学生平均分为两队。

2. 每个队的学生都拿一张汉字部件卡片。

3. 老师在黑板上写一个汉字。

4. 每个学生都要看看自己手中的卡片上是否有这个汉字的部件。

5. 如果有，学生就走到老师那儿，把卡片展示给全班看。

6. 部件相配的两个同学握手、拥抱。

7. 如果没有，学生就要回到自己的队伍中，找出正确的卡来。

8. 老师应向学生解释这个汉字的结构。

小提示

* 下面是一些左右结构和上下结构的汉字。如果是左右结构，两个学生应肩并肩地站在一起；如果是上下结构，学生应该一个站着，一个坐在老师的椅子上。

例字：

河 river	打 beat	树 tree
驴 donkey	铁 iron	踢 kick
惊 surprise	花 flower	雪 snow
岩 rock	想 think	字 character

58 谁的记忆力最好

游戏目的

教学生写象形汉字

适合年龄 6—15

所需材料

画儿和与之相应的汉字卡；笔和纸

游戏步骤

1. 老师左手拿着画儿，右手拿着与画儿相对应的字卡给学生看。

2. 约30秒后，右手放下，叫学生凭记忆在纸上写出那个汉字来。

3. 汉字写好后，教师放下左手，抬起右手，让学生凭记忆把与汉字对应的画儿画出来。

小提示

* 建议练习的汉字：

山	马	鸟
木	火	口

59 击鼓传卡

游戏目的

复习学过的汉字

适合年龄 9—15

所需材料

鼓；大号帽子；学生学过的大量字卡

汉字练习

游戏步骤

1. 让学生坐成一圈，请一个学生坐在圈外敲鼓。

2. 给这名学生戴上一个大号帽子挡住眼睛，以保证他看不到其他同学。

3. 老师把字卡递给一个学生，说"开始"。

4. 同时，圈外的同学急速敲鼓，圈里的学生则按顺序开始传卡。

5. 过一会儿，鼓声急停，手里拿卡的学生就要大声读出卡上的内容。

6. 如果这个学生不会读，那么他就会受到小小的惩罚，如学狗叫。

7. 游戏可多次重复。

60 钓 鱼

游戏目的

复习学过的汉字；学新字

适合年龄 6—12

所需材料

电动钓鱼玩具

游戏步骤

1. 在每条鱼的身上写一个汉字。

2. 启动玩具，游戏开始。学生要把他钓出的鱼交给老师，并读出上面的汉字。

3. 如果他认识这个字，这条鱼就是"好鱼"；如果不认识，就是"坏鱼"。

4. 所有的鱼都被钓出后，看看谁的"好鱼"最多，谁的"坏鱼"最多。

5. 老师要把所有的"坏鱼"收集起来，帮学生认"坏鱼"身上的字。如果学生学会了他们以前不认识的字，"坏鱼"就变成了"好鱼"。

61 救玩具

游戏目的

复习学过的汉字

所需材料

大桶、小桶、水；写有汉字的塑料或木质玩具

游戏步骤

1. 把所有玩具放进大桶里，叫学生去拿。但不允许学生把桶推倒，或跳进桶里，或用钩子去捞等。

2. 要学生另想办法取出玩具。

3. 老师可建议学生用小桶装水，倒进大桶里。

4. 玩具漂上来了，学生就可以拿到了。

5. 要求学生读出他"救"出来的玩具上的汉字。

6. 每个学生都要把写有他认识的字的玩具放在自己的小桶里；不认识的，就扔回大桶。

7. 老师应该教学生认先前不认识的字，直到所有的玩具都"得救"。

小提示

* 如果有聪明的学生能够想出与老师一样的办法，就给他一个玩具，以示鼓励。

* 建议在室外玩这个游戏，以免弄湿教室地板。

* 老师要确定大桶是够深的，学生够不到桶底。

62 小猫小狗

游戏目的

复习学过的汉字

所需材料

一个手指狗玩偶和一些手指猫玩偶；汉字字卡

游戏步骤

1. 每个学生都要戴上手指猫玩偶。
2. 老师一手戴手指狗玩偶，一手拿汉字卡。
3. 老师假装小狗的样子，故意把字卡读错。
4. 学生发现老师读错了，就举起自己的手指猫玩偶，更正老师。
5. 重复步骤3、4，直到每个学生都发言。如果有学生读错了，老师和其他学生也可以举起玩偶，并更正他。

115

63 老鹰抓小鸡

汉字练习

游戏目的

复习学过的汉字

所需材料

汉字卡片；老鹰、母鸡和小鸡的头饰

游戏步骤

1. 一名学生扮做老鹰，老师扮做母鸡，其他学生扮做小鸡。

2. 给每只小鸡的衣服兜里都放上一张字卡。

3. 扮做小鸡的学生站成一队。

4. 扮成母鸡的老师站在队首，学生每人都抓着前面同学或老师的衣服。

5. 老师要张开双臂挡住抓小鸡的老鹰。

6. 如果小鸡被抓住了，就要正确地读出他衣兜里的字。

7. 如果小鸡读对了，就把他放回队里，但要紧紧地跟在老师后面，以免再被抓住。

8. 如果小鸡不会读，就要老鹰为他读。

9. 如果老鹰会，这只小鸡就输掉了游戏，要离开队伍；如果老鹰也不会，老鹰就去当小鸡，而被抓住的小鸡则去当老鹰。

小提示

＊准备创可贴以备受伤时用。

116

64 给米老鼠回信

游戏目的

写汉字

适合年龄 6—15

所需材料

信封；空白胶贴纸；笔

基本词语

米老鼠 Mǐlǎoshǔ Mickey Mouse   迪斯尼 Dísīní Disney   洛杉矶 Luòshānjī Los Angeles

游戏步骤

1. 课前老师准备好贴上假邮票的信，活动时发给每个学生。示例如下：

×××：

   你好！

   我是米老鼠。请告诉我：你的学校好吗？你的爸爸、妈妈好吗？我要去中国了，以后你会去吗？

   再见！

米老鼠

117

2. 读完信，在老师的帮助下，学生开始给米老鼠写回信，并在空白胶贴纸上画张邮票。

3. 把邮票粘在信封上，把信交给老师。

游 戏 扩 展

● 请参见"情景词语"中的"在公园"，以选择更多中文词语。

小 提 示

*米老鼠的地址一定要用中文写：

  米老鼠 （Mickey Mouse）

  迪斯尼 （Disney）

  洛杉矶 （Los Angeles）

*回信示例如下：

米老鼠：

  你好！

  我是×××。我的学校很好，爸爸、妈妈也很好。我以后也要去中国。

  祝你在中国玩得愉快！

  再见！

  　　　　　　　　　　　　　　　　　　×××

笔 记

65 奇怪的电影票

游戏目的

复习已学过的汉字；学习新字

6—15 适合年龄

所需材料

电视和DVD机；写有汉字的卡片

游戏步骤

1. 告诉学生，今天要看动画片，但每个学生要有票才能入座。

2. 老师在两张卡上写同样的汉字，一张贴在椅子上，一张给学生。给学生的那张就是"票"。

3. 把教室里的椅子像电影院那样码成排，然后叫每个学生看着自己票上的字，来找座位上相同的字。

4. 老师装成检票员，叫每一个学生读出他票上的汉字。

5. 播放动画片。

66 保龄球冠军

汉字练习

游戏目的

复习学过的汉字；学习新字

所需材料

一套保龄球器材；笔和纸；玩具皇冠

适合年龄 6—15

游戏步骤

1. 在每个保龄球瓶上写一个汉字。

2. 让每个学生把他击中的瓶子收起来，拿给老师。

3. 要求学生读出瓶子上的汉字。

4. 每读对一个，就记一分；错了，就是零分。

5. 让所有学生都参加，看谁的分数最高。

6. 给冠军戴上皇冠。

7. 把所有瓶子再次排好，让学生多练习几遍。

小提示

* 可用一瓶饮料、一袋小吃来代替皇冠。

120

67 画 "正" 字

游戏目的

学写汉字"正"

所需材料

大量卡片

基本词语

一 yī one	二 èr two	三 sān three	四 sì four	五 wǔ five
卡片 kǎpiàn card		正 zhèng correct, right		

游戏步骤

1. 学生每人拿几张卡片，依次放在黑板旁的桌子上。

2. 第一个学生放下卡片时说"一"，第二个学生就说"二"，以此类推，一直说到"五"。

3. 请一名学生站在黑板旁，每放一张卡片，就画"正"字的一个笔画（"正"字有五画），每画五画就完成一个"正"字。

4. 教师问学生，桌上有多少张卡片，画了多少个"正"字（五张卡片是一个"正"字）。

小提示

*告诉学生，这是一种传统的中国计数法。

121

68 我是中文打字员

游戏目的

复习汉字和汉语拼音

所需材料

电脑；汉字卡和句卡

基本词语

我 wǒ I, me	是 shì be	打字员 dǎzìyuán typist
电脑 diànnǎo computer	打字 dǎ zì type	打印 dǎyìn print
中国的 Zhōngguó de Chinese	中文的 Zhōngwén de Chinese	

游戏步骤

1. 发给每个学生一段中文，要求他们用"智能ABC输入法"打字。

2. 输入完成后，打印出来，并签上自己的名字，交给老师。

小提示

* 活动前，老师可以先简单介绍汉字输入的方法和技巧。

* 用"搜狗"等输入法也可以。

69 汉字迷阵

游戏目的

写汉字

所需材料

写有字谜的纸；笔

游戏步骤

1. 给学生一些提示，以帮他们完成字谜。注意：中文词语或句子可以横读、竖读，以及对角读。字谜示例如下：

（答案：1. 是　2. 国　3. 里　4. 常　5. 习　6. 词　7. 便/面）

2. 看看在10分钟或20分钟内，学生可完成几张字谜。

小提示

＊老师应根据学生学过的汉字来设计迷阵。

70 归类

汉字练习

游戏目的

写汉字

所需材料

笔和纸

基本词语

水果 shuǐguǒ fruit　　动物 dòngwù animal　　颜色 yánsè color

游戏步骤

1. 将学生分为两到三个队，选出队长。
2. 老师在黑板上写出汉字，如"水果"、"颜色"、"动物"等。
3. 学生开始想每一类的中文词，并由队长写下来。
4. 给学生两三分钟时间来完成。
5. 老师批改，每对一个字得一分。得分最多的队获胜。

游戏扩展

● 请参见"情景词语"中的"购物"、"宠物"、"农场动物"、"海洋生物"、"野生动物"、"鸟类"和"小动物"，以选择更多中文词语。

124

71 老虎没牙

游戏目的

练习听"有"和"没"

适合年龄 6—15

所需材料

纸1：画着一只有牙的老虎；
纸2：画着一只没牙的老虎

基本词语

有 yǒu   have/has, there is/are   没（有）méi (yǒu)   no, *antonym of* 有
牙 yá   tooth   疼 téng   painful   老虎 lǎohǔ   tiger

1. 两个学生一组。

2. 一个学生右手拿纸1，左手拿纸2。

3. 这个学生举起右手说"有牙"时，对方同学要喊"疼"。

4. 这个学生举起左手说"没牙"时，对方同学要喊"不疼"。

5. 让这个学生轮流而无序地举手，越来越快，直到对方犯错为止。

6. 互换角色，重复练习。

游 戏 扩 展

● 请参见"情景词语"中的"人物描绘"、"宠物"、"农场动物"、"海洋生物"、"野生动物"、"鸟类"和"小动物"，以选择更多中文词语。

小提示

＊老虎可用其他动物代替，如狼。这样，学生就可以学到更多关于动物的中文词语。

笔 记

72 冰棍化了

游戏目的

练习在运动中听中文词语

所需材料

篮球场或类似大小的场地

基本词语

冰棍 bīnggùn　ice bar　　　　　　化 huà　melt

TingLì Liànxí

游戏步骤

1. 让一个学生在场地中追逐其他同学。

2. 快要被捉到的学生要高喊"冰棍",并且马上站住,纹丝不动。

3. 追人的学生继续去追别人。刚才那个几乎被捉到的同学喊一声"化了",就可以继续跑
   开了。

4. 学生不准跑出场地。同时,如果忘记喊
   "冰棍"和"化了",就算犯规,并去当
   抓人的人了。

小提示

* 这里的中文词可换成"冰淇淋/化了"
  或"乌龟/不动"等。

* 准备创可贴以备受伤时用。

127

73 听和画

适合年龄 **9 — 15**

游戏目的

听短文

所需材料

纸；彩色铅笔或蜡笔

蓝天上有太阳，还有几片云彩……

听力练习

游戏步骤

1. 老师用中文描绘一幅想象中的画儿，并让学生听后画出来。比如老师说：

> 蓝天上有太阳，还有几片云彩。三只小鸟在天上飞。两只小羊在吃草，一只大羊在看小羊。小羊的右边有一棵树，树上有五只小鸟在唱歌，树下有一头黄牛在睡觉。大羊的左边是一只狼，它要吃小羊。

2. 老师重复短文几遍。

3. 要求学生尽可能画详细一些，每个细节都要画出来。

4. 画得最细致的学生获胜。

小提示

* 为了降低难度，老师也可以准备几幅画儿，叫学生选择最符合老师描述的那一张。

74 这是中文吗

游戏目的

训练辨别中文

6 – 15 适合年龄

所需材料

录音机

基本词语

中文 Zhōngwén　Chinese

汉语 Hànyǔ　Chinese

游戏步骤

1. 用录音机播放用各种语言说的短句，包括英语、西班牙语、法语、汉语、俄语、日语、阿拉伯语等，甚至还有音乐和噪声。

2. 每个句子间停顿两三秒。

3. 要求学生在听到中文后，就说"中文"或"汉语"。

4. 老师问学生听到的中文是什么，并让学生重复出来。

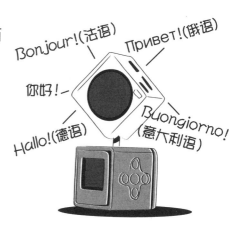

小提示

* 尽可能多地练习不同的句子。

* 如果老师教的是多语言班，叫学生自己制作录音是很有意思的事，而老师负责录中文。

129

75 排队

游戏目的

练习听句子

所需材料

写有汉字的大纸板，一张一个词

听力练习

我古学校

游戏步骤

1. 给每个学生一个纸板。

2. 老师说一个中文句子，如"*汤姆在吃三明治*"。谁的纸板里有这个句子里的词，谁就站起来，按照词语在句子中的位置站在队伍相应的位置上。

3. 老师把学生分为几组，每组都可组成一个中文句子。

4. 让学生多次重复游戏。

小提示

＊学生要把纸板高高举过头顶。对初学者来说，以先练习三到四个词的句子为宜。

76 我的中文名字

适合年龄 6—15

游戏目的

训练听名字，感觉汉语语音

所需材料

写有学生名字的卡片；学生的照片

基本词语

汤姆 Tāngmǔ　Tom	史蒂芬 Shǐdìfēn　Steven	约翰 Yuēhàn　John
拉里 Lālǐ　Larry	大卫 Dàwèi　David	丹尼尔 Dānní'ěr　Danniel
安德鲁 Āndélǔ　Andrew	查理 Chálǐ　Charles	阿历克斯 Ālìkèsī　Alex
琳达 Líndá　Linda	玛丽 Mǎlì　Mary	贝蒂 Bèidì　Betty
劳拉 Láolā　Laura	瑞贝卡 Ruìbèikǎ　Rebbeca	克里斯蒂娜 Kèlǐsīdìnà　Christina
爱丽丝 Àilìsī　Alice	我的 wǒ de　my	中国的 Zhōngguó de　Chinese
名字 míngzi　name		

游戏步骤

1. 老师举起卡片，用中文念出学生的名字。

2. 如果学生觉得老师的发音很像自己名字的
   英文发音，比如，"琳达"和"Linda"，
   她就站起来说："我的中文名字"。

3. 如果学生错了，老师就重复念这个名字，
   直到某个学生回答正确，即自己的英文名
   字与老师念的中文名字发音一致。

4. 等每个学生都听到自己的中文名字后，让
   他们把中文名字写在自己照片的背面。

琳达

我的中文名字。

131

77 我是傻瓜

练习并体验汉语声调

适合年龄 6—15

基本词语

我 wǒ I, me	是 shì be	傻瓜 shǎguā fool
妈 mā mom	麻 má tingle	马 mǎ horse
骂 mà scold	八 bā eight	拔 bá pull out
把 bǎ hold	爸 bà dad	搭 dā build
达 dá reach	打 dǎ beat	大 dà big

听力练习

游戏步骤

1. 学生站起来跟着老师说的做动作：

   一声：双臂平举；

   二声：左臂举过肩，右臂下垂；

   三声：双臂举过肩；

   四声：右臂举过肩，左臂下垂。

2. 老师教学生大声说："妈麻马骂，八拔把爸，搭达打大"，边说边做上面讲的四声手势。

3. 让学生多练几次，每次做手势的同时，都大喊"一声、二声"等。

4. 做"我是傻瓜"的声调手势并说出来。

5. 只做"我是傻瓜"的手势，而不发出声音。

78 飞机大赛

游戏目的

练习听力

所需材料

纸

基本词语

纸 zhǐ　paper　　　　飞机 fēijī　plane　　　　比赛 bǐsài　competition

游戏步骤

1. 教学生折一些纸飞机（参考下图）。

2. 让学生排成一行，试飞。

3. 为比赛方便，指定教室里不同的家具或物品有不同的分数（如桌子5分、门10分、垃圾桶20分）。

4. 用中文向学生提问，学生必须仔细听，然后回答。

5. 回答正确的学生有机会放飞飞机来击中某个目标物，以得到分数。

6. 看谁的分数最高，谁就可以获得一个小奖品。

小提示

＊这个游戏几个人同时玩比一个人玩要好。因此，老师可把学生分成两队或更多的队。

TīngLì Liànxí

79 画 廊

游戏目的

听以前学过的中文词

适合年龄 6—15

所需材料

彩色粉笔或标记笔

游戏步骤

1. 在黑板上画几个大的方块，以便每个学生把画儿画在里面。
2. 学生在方块的上方写上自己的名字。
3. 老师用中文说一个东西，学生就画一个。
4. 每个学生的画儿都要评分。
5. 重复几次后，分数最高者胜出。

小提示

* 老师说的提示词可以是简单的名词，如：狗、书架、火车；也可以是动词短语，如：一个人在跑步、吃蛋糕、睡觉；也可以加上形容词修饰，如：一头很大的大象、一头愤怒的狮子、一枚昂贵的钻石戒指。

80 心灵感应

游戏目的

训练听力

适合年龄 9—15

你可以在麦当劳买到

汉堡包

游戏步骤

1. 学生排成两队，每队推选一个学生站在黑板前，背对黑板。

2. 老师在黑板上写一个中文词语，或画一张画儿，如汉堡包。

3. 其他队友用不同的中文句子帮助这名背对黑板的学生猜这个词是什么。比如，"你可以在麦当劳买到"、"上面有奶酪和番茄酱"，等等。

4. 两队中无论谁先猜中，都为本队获得一分。

小提示

＊本游戏适用于汉语水平较高的学生。

＊队友不可直接说出答案，提示语言中也不得含有答案。

81 闭眼走

游戏目的

在运动中练习听力

基本词语

走 zǒu walk	向前 xiàng qián forward	向后 xiàng hòu backward
步 bù step	转 zhuǎn turn	左 zuǒ left
右 yòu right		

听力练习

游戏步骤

1. 学生按两人一组分开。

2. 用桌椅在教室里设计一个障碍场地。

3. 每组中的一名学生要蒙上眼睛，另一名学生则用中文提示他如何穿越障碍。如"向前走两步"、"左转"、"迈一小步"等。

小提示

* 准备创可贴以备受伤时用。

迈一小步

82 耳 语

游戏目的

训练中文细听能力

适合年龄 6—15

游戏步骤

1. 学生围着老师坐成一圈。

2. 老师低声向一个学生说一个中文词或一句话，如 "我饿了"。

3. 这个学生就把这个词或这句话小声地告诉下一位同学，依此类推，直到圈里的最后一个学生。

4. 最后一名学生要大声说出他听到的词或句子，看看是不是跟老师的原话一样。

83 公告牌

适合年龄 6—15

游戏目的

给学生创建一个展示最近中文学习情况的空间

所需材料

软木板；颜料；彩带；各种装饰品

游戏步骤

1. 老师把全班学生分成两到三组，每组选出一名小组长。

2. 每组从同学和老师那里收集一些大家最近的字卡和作业纸。

3. 让学生给木板涂上颜色，或在边上粘上彩带；也可以在木板边上粘上小亮片、绒球、小纸条和贝壳等。

4. 把同学们的字卡和作业纸粘在木板中间，然后把木板放在教室里显眼的地方。

5. 每组收集的字卡和作业纸可以展示几星期或几个月，如有需要，也可以更新。

游戏扩展

● 请参见"情景词语"中的"学校设备"和"学校一日"，里面有很多与本活动相关的词语。

综合练习

84 跳竹竿

游戏目的

通过中国少数民族传统游戏学习中文，特别是"不了"的用法

所需材料

两根6英尺长的竹竿；雨靴

基本词语

竹子 zhúzi bamboo	跳 tiào jump, hop	下雨 xià yǔ rain　　雨 yǔ rain
我 wǒ I, me	穿 chuān wear, put on	雨鞋 yǔxié rain boot
湿 shī wet	不了 bùliǎo not be able or have the chance to do something	

下雨啦，下雨啦！
我穿雨鞋，我穿雨鞋。
湿不了，湿不了。

Zōnghé Liànxí

139

1. 老师和一名学生各拿两根竹竿的两头，形成一个等号（＝）。

2. 老师和学生抬起后起放下竹竿，触地作响，发出的节奏是：

(1) XX X XX X

(2) XX XX XX XX

(3) X XX　X XX

3. 其他学生站成两队，分别站在两根竹竿的外侧。

4. 站在左侧的学生把右脚伸进两根竹竿的空隙，再拿出来；站在右侧的学生把左脚伸进去，再拿出来。动作要与竹竿触地的节奏一致。当脚伸进拿出时，学生要喊出下面的句子：

（1）下雨啦，下雨啦!

（2）我穿雨鞋，我穿雨鞋。

（3）湿不了，湿不了。

5. 到最后一节拍时，两根竹竿抬起合拢，试图夹住跳竿学生的脚。

6. 跳竿的学生要尽快把脚从窄窄的缝隙中拿出来。

7. 如果脚被夹住，这个学生就输了。队里的最后一个学生获胜。

小提示

＊可以从网络上下载一段少数民族表演跳竹竿的视频，以便让学生对游戏的玩法有更直观的了解。

＊游戏时，老师一定要控制好力量，以免伤到学生的脚。

＊准备创可贴以备受伤时用。

综合练习

笔 记

85 木头人

游戏目的

学说中文句子，特别是"有"字句

适合年龄 6—15

所需材料

一张滑稽的木头人的画儿

基本词语

山 shān moutain	爬 pá climb	高 gāo high, tall
有 yǒu have/has, there is/are	木头人 mùtourén chump	不许 bùxǔ disallow
说话 shuō huà talk, speak	动 dòng move, act	

游戏步骤

1. 把木头人的画儿挂在教室墙上。

2. 老师教学生读儿歌：

   山山山，

   爬高山，

   山上有个木头人，

   不许说话不许动！

3. 学生站成两行，大声说儿歌。

4. 说完，谁也不许说话，也不许动。

5. 坚持时间最长的学生就是胜者。

141

86 我属什么

游戏目的

学说"我属……"，了解中国的属相

所需材料

中国十二生肖的图片；笔和纸；有中国生肖的万年历

基本词语

我 wǒ I, me	属 shǔ be born in the year of	属相 shǔxiàng Chinese zodiac animal
鼠 shǔ mouse	牛 niú ox	虎 hǔ tiger	兔 tù rabbit
龙 lóng dragon	蛇 shé snake	马 mǎ horse	羊 yáng goat
猴 hóu monkey	鸡 jī cock	狗 gǒu dog	猪 zhū pig

鼠　　牛　　虎　　兔

龙　　蛇　　马　　羊

猴　　鸡　　狗　　猪

综合练习

1. 学生向家长了解家庭成员的出生年份并记下来，越多越好。

2. 把这些信息带到中文课上，交给老师。

3. 老师在万年历上迅速查找相应的生肖，并在学生每个家庭成员的名字上贴上生肖的图片，然后把这张纸还给学生。

4. 学生拿到这张纸以后，老师就根据刚才查的属相用英语对大家说："*汤姆的爸爸属羊，汤姆属马*"，然后用中文说："*汤姆属马*"，汤姆则站起来说："*我属马*"。

5. 老师应充分鼓励学生用中文说自己家庭成员的属相，并要求学生把这张纸带回家去，告诉家长他们都属什么。

游 戏 扩 展

● 老师也可以教学生用中文说学生及其家庭成员的星座。

笔 记

87 动物早操

游戏目的

学说中文长句

所需材料

音乐；鸟、兔子、狗和羊的卡通画

基本词语

小 xiǎo little, small	鸟 niǎo bird	扇/摇 shān/yáo shake
翅膀 chìbǎng wing	飞 fēi fly	树 shù tree
树梢 shùshāo treetop	白 bái white	兔 tù rabbit
真 zhēn very, really	可爱 kě'ài lovely	爱 ài like, love
吃 chī eat	萝卜 luóbo radish	菜 cài vegetable
花 huā flower, piebald	狗 gǒu dog	叫 jiào bark
骨头 gǔtou bone	尾巴 wěiba tail	羊 yáng sheep
快 kuài fast	山 shān moutain	上 shàng up, climb up
青 qīng green	草 cǎo grass, straw	唱歌 chàng gē sing

综合练习

144

1. 学生站成一行，随着老师，边说边做。

小小鸟，扇翅膀，　（上下挥动臂膀两次）

飞到树梢把歌唱。　（举起双臂转圈）

小白兔，真可爱，　（伸出两根手指模仿兔子耳朵，晃动两次）

爱吃萝卜爱吃菜。　（蹲下来，假装吃草）

小花狗，汪汪叫，　（手掌放在头边，像狗一样摇晃耳朵）

吃完骨头尾巴摇。　（弯腰，一只手在屁股后面晃）

小小羊，咩咩叫，　（伸出两根食指放在头上，模仿羊的角）

快快上山吃青草。　（两手模仿羊吃草的动作，弯腰抬起两次）

2. 当学生都学会歌词和动作后，叫他们画出鸟、兔子、狗和羊来。

笔 记

88 放 我 走

游戏目的

复习学过的中文词语；学习新词、新句型

所需材料

鱼形头饰；中文卡片

基本词语

第一 dì yī first	第二 dì èr second	第三 dì sān third
网 wǎng net	捞 lāo fish for, catch	鱼 yú fish
专 zhuān especially	小 xiǎo little, small	尾巴 wěiba tail
不 bù no		

综合练习

146

1. 两个学生面对面站着，抬起双臂，手拉手，形成一个门。

2. 其余的学生戴上鱼形头饰，排成一行，拽着前面同学的衣服，把中文卡片叼在嘴里。

3. 队伍在胳膊形成的门下鱼贯而行，两个站着的学生和老师一起大声说：

    一网不捞鱼，

    二网不捞鱼，

    三网专捞小尾巴尾巴尾巴……鱼。

4. 当说到"小尾巴尾巴尾巴……鱼"时，两个学生的胳膊突然放下，套住一条"鱼"。

5. "鱼"必须从嘴里拿出卡片，用英文或中文说"放我走"，并且正确读出卡上的字词。

6. 如果读对了，游戏重新开始；如果读得不对，这个学生就暂时离开队伍，作为小小的惩罚。

小提示

＊可以告诉学生，这是中国小朋友最喜欢的游戏之一。

笔 记

89 比萨

综合练习

游戏目的

练习中文对话；学新词

基本词语

你 nǐ you	什么 shénme what	做 zuò do
你的 nǐ de your	肚子 dùzi stomach	比萨 bǐsà pizza
吃 chī eat	摔 shuāi break	盘子 pánzi dish
你在做什么？ Nǐ zài zuò shénme? What are you doing?		

148

游戏步骤

1. 学生在地上坐成一圈。

2. 老师先把游戏里对话的意思用英文告诉学生。

3. 挑一名学生绕着圈走，用中文开始对话：

全体学生：你在做什么？

回答：走路。

全体学生：你的肚子为什么响？

回答：我吃了比萨，摔了盘子。

4. 说完最后一句时，这名学生就拍一下离他最近的同学，然后跑开。

5. 被拍的学生就要站起来去追他，并且要在他跑回自己的位置前抓住他。

6. 如果被抓住了，他就要给大家唱首歌；如果没有抓住，这名学生就开始绕圈走，重复步骤3。

7. 重复几遍游戏。

游 戏 扩 展

● 请参见"情景词语"中的"食物"，选择其他词语来代替"比萨"。

小提示

＊准备创可贴以备受伤时用。

笔 记

90 我的天哪

游戏目的

复习学过的中文词语；学新词

所需材料

粉笔；汉字卡片

综合练习

游戏步骤

1. 在地上画几个圈，每个圈里放一张字卡。圈的数量总要比学生的数量少一个。

2. 老师用中文数"一、二、三"，每个学生就以最快的速度去占一个圈。

3. 没有占到圈的学生就要喊"我的天哪"。

4. 圈里的学生要正确读出圈里的卡片。如果读不出，也必须喊"我的天哪"。

5. 重复几遍游戏。

150

91 微波炉

游戏目的

学用中文说电器、食品和"把"字句

所需材料

微波炉和各种食品

基本词语

你 nǐ　you　　　　我 wǒ　I, me　　　　要 yào　want

放 fàng　put　　　微波炉 wēibōlú　microwave oven　　什么 shénme　what

Zōnghé Liànxí

151

1. 让学生在准备好的食物中选出他最爱吃的那种，并教他用中文怎么说。

2. 学生在微波炉前站好一队，每个学生都要用中文对老师说他要做什么。比如：

   老师：*汤姆，你要做什么？*

   汤姆：*我要把……放到微波炉里。*

3. 老师就打开微波炉给他的食物加热。

4. 其他学生也同样这样做。

游戏扩展

● 请参见"情景词语"中的"家"和"食物"，以选择更多相关词语。

小提示

*老师应要求学生用"把"字句回答，并帮助学生完成句子。

笔记

综合练习

92 飞镖冠军

游戏目的

复习学过的中文词语；学新词

适合年龄 6—15

所需材料

儿童用镖盘和飞镖；笔和纸；金色巧克力棒、白色巧克力棒、黑色巧克力棒

基本词语

飞镖 fēibiāo　dart　　　　冠军/第一名 guànjūn / dì yī míng　champion, first place

亚军/第二名 yàjūn / dì èr míng　second place, runner-up

季军/第三名 jìjūn / dì sān míng　third place

Zōnghé Liànxí

153

1. 老师在每个靶环上写上汉字，然后把镖盘挂在墙上。

2. 学生把飞镖扔向镖盘，无论击中哪一环，都要读出这个环上的汉字。如果未击中镖盘，则按零分计算。

3. 如果读得对，就得一分，否则得零分。

4. 让学生多投几次，看谁的分数高。

5. 把一张桌子和一把椅子放在教室中央，作为领奖台。

6. 第三名站在地上，奖给黑色巧克力棒，他自己宣布："我是季军"。

7. 第二名站在椅子上，奖给白色巧克力棒，他自己宣布："我是亚军"。

8. 第一名站在桌子上，奖给金色巧克力棒，他自己宣布："我是冠军"。

笔记

93 我的皇冠

游戏目的

复习汉语拼音

所需材料

宽约4英寸的硬纸板条；空白胶贴纸；汉字卡；汉语拼音卡

基本词语

汉语拼音 Hànyǔ pīnyīn　Chinese phonetic alphabet

我的 wǒ de　my

皇冠 huángguān　crown

游戏步骤

1. 老师为每个学生用硬纸板条做一个皇冠。

2. 老师在空白胶贴纸上写汉语拼音，也可叫学生自己做。

3. 请一名学生将一张字卡，比如"好"字，举过头顶，老师就让另一名学生选择"好"字的正确的汉语拼音"hǎo"贴在皇冠上。

4. 游戏重复进行，直到每个学生都有自己的皇冠。

155

94 作文比赛

游戏目的

复习学过的词语和句型

适合年龄 13—15

基本词语

作文 zuòwén　writing, composition　　挑战 tiǎozhàn　challenge

游戏步骤

1. 把学生分为两组。

2. 老师在黑板上写出大量中文词语，并告诉学生作文的评判标准：

　　写了多少中文词？

　　写了多少中文句子？

　　故事讲完了吗？

　　故事有意思吗？

3. 要求学生在10分钟内完成。最后一分钟时，老师要用读秒的方式催促学生。

4. 每组选择一名学生站起来读给全班听。

5. 比较一下两个故事，看看哪组的更有意思。

95 小狗，小狗

游戏目的

复习学过的词语和句型

所需材料

狗面具；一根假骨头

基本词语

小狗 xiǎo gǒu doggy	你的 nǐ de your	骨头 gǔtou bone
哪儿 nǎr where	它 tā it	偷走 tōuzǒu steal
猜 cāi guess	他 tā he, him	谁 shéi who

游戏步骤

1. 给一名学生戴上狗面具，让他扮演狗。

2. 让这名学生坐在椅子上，背对全班，闭上眼睛。

3. 把一根骨头放在他的椅子下。

4. 让一名学生悄悄地把骨头拿走，藏在身上摸个地方。

5. 其他人用中文说：

   小狗，小狗，你的骨头在哪儿呢？
   它被人偷走啦！猜猜他是谁。

6. "狗"有三次机会猜是谁拿的。

7. 如果猜对了，他就继续扮狗；如果错了，藏骨头的同学就去扮狗。

96 好，开始

游戏目的

学新词，并学习句型"你能……吗"和"你可以……吗"；
复习学过的词语

适合年龄 6—15

基本词语

对眼 duìyǎn cross-eyed	全身发抖 quán shēn fā dǒu shake one's body	
可以 kěyǐ can	好 hǎo OK, good	开始 kāishǐ Go!
太 tài too, excessively	糟/坏 zāo / huài bad	不 bù no, not
跳舞 tiào wǔ dance	快跑 kuài pǎo run quickly	单腿跳 dān tuǐ tiào hop
蹦 bèng skip	星星跳 xīngxing tiào do a star jump	
倒立 dàolì do a handstand	摸脚趾 mō jiǎozhǐ touch one's toes	
打响指 dǎ xiǎngzhǐ snap one's fingers	吹口哨 chuī kǒushào whistle	
唱歌 chàng gē sing		

综合练习

你可以对眼吗？

我能！

1. 老师用中文问学生："你可以对眼吗？"

2. 如果学生回答："我能！"老师就说："好，开始！"学生就开始对眼。

3. 如果学生回答："不，我不能。"老师就说："太糟啦！那么，你可以全身发抖吗？"

4. 老师再用中文问学生："你能用中文说 apple 吗？"或"Apple 中文怎么说？"

5. 学生应该回答"苹果"或"我不能用中文说 apple"。

6. 每个学生都要有机会参加活动，会得最多的学生胜出。

小提示

＊老师的问题应该是一个关于动作的，一个关于语言的，轮流进行。

笔记

97 传苹果

适合年龄 6－15

游戏目的

练习口语

所需材料

玩具苹果

游戏步骤

1. 让学生坐成一圈。

2. 老师扔给学生一个苹果，学生接住，并在扔给其他同学之前说一个中文词。

3. 下一个学生也这么做。

4. 如果哪个学生没接住或者没能说出中文词，那么就算出局了。

5. 游戏一直进行到决出胜者为止。

小提示

＊也可用其他东西来代替苹果，如一个动物玩具。

160

98 过 河

游戏目的

练习口语

所需材料

大量卡片

适合年龄 6-15

Zōnghé Liànxí

游戏步骤

1. 把卡片弯弯曲曲地放在地上，一张卡片代表河里的一块石头。

2. 学生要踩着这些"石头"过河，但是他必须读出上面的汉字或回答出上面的问题。

99 中文比赛

适合年龄 9—15

游戏目的

复习学过的中文词语和句型

所需材料

闪光玩具，如闪光棒或闪光玩具手掌；比赛用的问题卡；奖品

游戏步骤

1. 把教室布置成比赛场地，学生围成一个半圆，面对老师和黑板。

2. 比赛内容如下：

(1) 读汉字卡

综合练习

162

(2) 用中文说出图片上物品的名称

(3) 造句

(4) 给汉字注上汉语拼音

(5) 英译中或中译英

(6) 改正写错的汉字

(7) 唱中文歌或说中文顺口溜

(8) 三分钟的中文演讲

3. 问题可分为必答题和抢答题两部分。

4. 比赛结束后，前三名获奖，其他学生可得到纪念品。

小提示

* 如何进行必答题比赛：老师向学生逐个提问，每个学生要回答三个问题。

* 如何为必答题计分：每个学生有10秒钟的回答时间。回答正确，3分；不回答，1分；回答错误，0分；超时，0分。

* 如何进行抢答题比赛：学生只有在举起闪光玩具后才能回答问题。第一个举起闪光玩具的学生应第一个回答。如果没有举起闪光玩具就回答问题或打断老师发问，无论答案正确与否，都将失去答题的权利。无论学生答案是否正确，一个问题只用一次；如果学生犯规，这个问题也要作废。

* 如何为抢答题计分：回答正确，5分；回答错误，0分；犯规，－2分。

笔 记

100 中国春节联欢会

游戏目的

复习学过的中文词语和句型，鼓励学生和家长学习中文

所需材料

联欢会装饰品；一篮子各色水果；煮熟的饺子；新年贺卡；"春节联欢会"横幅；笔

综合练习

164

1. 老师和学生邀请学生家长和其他老师参加。

2. 安排好观众席。

3. 联欢会开始。

序幕：音乐《春节序曲》（中国音乐家李焕之作曲）起，所有学生跑上舞台，在观众前跳舞。一两分钟后，音乐渐弱，学生排成一排站好。

4. 老师和一名男生、一名女生跨出队列。

老师：（英语）嗨，诸位，今天是中国新年，祝大家新年好！（汉语）新年好！

男生：（汉语）新年好！

女生：（汉语）新年好！

老师、男生、女生：（汉语）大家新年好！

老师：（英语）很高兴大家来参加我们的春节联欢会。我们先给大家唱一支中文歌。

（汉语）同学们，我们给客人唱支歌，好吗？

学生：（汉语）好！

老师：（英语）他们说"好"。（向观众做个鬼脸）

5. 音乐再起，学生唱《两只老虎》或其他歌曲，一遍汉语，一遍英语。

老师：（英语，对观众）多棒的歌唱家啊！大家说"太棒了"。哦，用中文对他们说"太棒了"。（汉语）太——棒——了——！（鼓励观众再说一遍）

6. 老师拿起水果篮，学生们围着老师。

老师：（英语、汉语）今天是中国的春节，也是中国的新年。我们来吃些水果。（从篮子里拿出一个水果）（英语、汉语）这是什么？

学生：（一个一个地，用英语和汉语回答）苹果、香蕉、梨……

7. 学生开始吃水果。

老师：（用汉语一个一个地问学生）苹果/香蕉/梨好吃吗？（对观众，用英语）苹果/香蕉/梨好吃吗？

学生：（挨个用汉语回答）好吃/不好吃。

8. 老师把学生的回答翻译给观众。三四分钟后：

老师：（对学生，汉语）好！我们现在可以准备礼物了。（对观众，英语）他们给你们准备了贺年卡和饺子。

9. 老师把贺年卡和饺子给学生，并在黑板上写"春节好"三个字，然后叫学生抄在贺年卡上。四五分钟后：

老师：（英语和汉语）准备好了吗？

学生：（英语和汉语）好了！

老师：（英语）我们唱《新年快乐》，把贺卡送给大家吧。

10. 音乐起，学生唱一遍英语的，再唱一遍汉语的《新年快乐》，然后把卡和饺子送给观众。

老师：（对观众，英语和汉语）他们真是太棒了！（鼓励观众重复"太棒了"）

男生和女生：（英语和汉语）联欢会结束。

老师和学生：（英语和汉语）谢谢参加！

小提示

*本活动对学生来讲可能较长，也较复杂，应多排练几次。

*《新年快乐》歌可用最常见的《祝你生日快乐》的旋律。

笔记

Fùlù： Qíngjǐng Cíyǔ

附录：情景词语

EXPRESSIONS
IN A GIVEN
SITUATION

场所　Chǎngsuǒ　Places

cinema	电影院	diànyǐngyuàn
countryside	农村	nóngcūn
exhibition hall	展览馆	zhǎnlǎnguǎn
house	家	jiā
museum	博物馆	bówùguǎn
open market	露天市场	lùtiān shìchǎng
park	公园	gōngyuán
restaurant	饭馆	fànguǎn
theme park	主题公园	zhǔtí gōngyuán

活动　Huódòng　Activities

bath a dog	给狗洗澡	gěi gǒu xǐ zǎo
do a jigsaw puzzle	玩儿拼图	wánr pīntú
fly a kite	放风筝	fàng fēngzheng
go boating	去划船	qù huá chuán
go shopping	去购物	qù gòu wù
make a den	搭房子	dā fángzi
play baseball	打棒球	dǎ bàngqiú
play chess	下棋	xià qí
play with a dog	和狗玩儿	hé gǒu wánr
practice a musical instrument	练乐器	liàn yuèqì
ride a bike	骑自行车	qí zìxíngchē
watch TV/a video	看电视/看录像	kàn diànshì / kàn lùxiàng

联想词语　Liánxiǎng Cíyǔ　Associated Words

aunt	阿姨/姑姑/姨妈	āyí / gūgu / yímā
brother	兄弟	xiōngdì
cousin	表兄弟/表姐妹	biǎoxiōngdì / biǎojiěmèi

情景词语

drive	开车	kāi chē
friend	朋友	péngyou
grandma	祖母/奶奶	zǔmǔ/nǎinai
grandpa	祖父/爷爷	zǔfù/yéye
see	看	kàn
sister	姐妹	jiěmèi
uncle	叔叔/舅舅	shūshu/jiùjiu
visit	拜访/参观	bàifǎng/cānguān

2. 聚会时刻　Jùhuì Shíkè　PARTY TIME

聚会用品　Jùhuì Yòngpǐn　Things for the Party

balloon	气球	qìqiú
birthday cake	生日蛋糕	shēngrì dàngāo
birthday card	生日贺卡	shēngrì hèkǎ
candy	糖果	tángguǒ
letter of invitation	邀请信	yāoqǐngxìn
streamer	彩带	cǎidài

礼物　Lǐwù　Presents

ball	球	qiú
bike	自行车	zìxíngchē
bracelet	手镯	shǒuzhuó
camera	照相机	zhàoxiàngjī
CD	光盘	guāngpán
computer game	电脑游戏	diànnǎo yóuxì
crayon	蜡笔	làbǐ
fish tank	鱼缸	yúgāng
glider	滑翔飞机	huáxiáng fēijī
gloves	手套	shǒutào
goggles	护目镜	hùmùjìng
jigsaw puzzle	拼图游戏	pīntú yóuxì

kite	风筝	fēngzheng
piggy bank	存钱罐	cúnqiánguàn
scarf	围巾	wéijīn
skates	冰鞋	bīngxié
sketchbook	素描本	sùmiáoběn
stuffed animal	填充动物	tiánchōng dòngwù
teddy bear	泰迪熊	Tàidíxióng
terrestrial globe	地球仪	dìqiúyí
yo-yo	悠悠球	yōuyōuqiú

3. 在公园　Zài Gōngyuán　IN THE PARK

bird	鸟	niǎo
boat	船	chuán
bridge	桥	qiáo
bumper car	碰碰车	pèngpengchē
candy	糖果	tángguǒ
carousel, merry-go-round	旋转木马	xuánzhuàn mùmǎ
cotton candy	棉花糖	miánhuatáng
crowd	人群	rénqún
duck	鸭子	yāzi
entrance	入口	rùkǒu
Ferris wheel	摩天轮	mótiānlún
flower bed	花坛	huātán
fountain	喷泉	pēnquán
Frisbee	飞盘	fēipán
fun house	快乐屋	kuàilèwū
gardener	园丁	yuándīng
grass	草	cǎo
line	队	duì
lollipop	棒棒糖	bàngbàngtáng
path	小路	xiǎo lù
picnic	野餐	yěcān
roller coaster	过山车	guòshānchē
sandbox	沙箱/沙盒	shāxiāng / shāhé

scooter	（儿童）滑板车	(értóng) huábǎnchē
(children's) slide	滑梯	huátī
soccer	（英式）足球	(yīngshì) zúqiú
swing	秋千	qiūqiān
swing boat	船形秋千	chuánxíng qiūqiān
tree	树	shù
water slide	水上滑梯	shuǐshang huátī

联想词语　Liánxiǎng Cíyǔ　Associated Words

bump	颠簸	diānbǒ
climb	爬	pá
crash	撞	zhuàng
feed	喂	wèi
find	找到	zhǎodào
hide	藏	cáng
kick	踢	tī
move quickly	飞快移动	fēikuài yídòng
play	玩儿	wánr
ride	骑	qí
rock	摇	yáo
roll	滚	gǔn
run	跑	pǎo
slide	滑	huá
smash	猛撞	měng zhuàng
spin	旋转	xuánzhuàn
splash	溅起	jiànqǐ
throw	扔	rēng
twist	扭	niǔ
walk	走	zǒu
watch	看	kàn
zoom	急速上升	jísù shàngshēng

地点　Dìdiǎn　Places

city	城市	chéngshì
countryside	农村	nóngcūn
mountain	山	shān
river	河	hé
seashore	海滨	hǎibīn
town	城镇	chéngzhèn

度假物品　Dùjià Wùpǐn　Things to Take with on Vacation

backpack	背包	bēibāo
ball	球	qiú
bat	球棒/球拍	qiúbàng / qiúpāi
blanket	毯子	tǎnzi
camera	照相机	zhàoxiàngjǐ
flashlight	手电筒	shǒudiàntǒng
flippers	脚蹼	jiǎopǔ
Frisbee	飞盘	fēipán
goggles	护目镜	hùmùjìng
map	地图	dìtú
sandals	凉鞋	liángxié
skis	滑雪板	huáxuěbǎn
suitcase	手提箱	shǒutíxiāng
sunscreen	防晒霜	fángshàishuāng
swimsuit	泳衣	yǒngyī
tent	帐篷	zhàngpeng
towel	毛巾	máojīn
T-shirt	T 恤	T-xù

在海滨　Zài Hǎibīn　At the Seashore

cliff	岩石	yánshí
crab	螃蟹	pángxiè

情景词语

172

fishing boat	渔船	yúchuán
ocean	海洋	hǎiyáng
pail	桶	tǒng
rock	礁石	jiāoshí
sandcastle	沙堡	shābǎo
shell	贝壳	bèiké
surfboard	冲浪板	chōnglàngbǎn
wave	浪	làng

在乡村　Zài Xiāngcūn　In the Countryside

bee	蜜蜂	mìfēng
bird	鸟	niǎo
butterfly	蝴蝶	húdié
farm	农场	nóngchǎng
fence	栅栏	zhàlan
field	田野	tiányě
flower	花	huā
forest	森林	sēnlín
hill	山	shān
hive	蜂箱	fēngxiāng
rooster	公鸡	gōngjī
sheep	绵羊	miányáng
tractor	拖拉机	tuōlājī
woods	树林	shùlín

联想词语　Liánxiǎng Cíyǔ　Associated Words

climb	爬	pá
collect	采集	cǎijí
dig	挖	wā
explore	探险	tànxiǎn
make	制造	zhìzào
meet	见面	jiàn miàn
swim	游泳	yóu yǒng

173

throw	扔	rēng
wade	蹚/走过	tāng/zǒuguò
walk	走	zǒu
watch	看	kàn

5. 旅行方式　Lǚxíng Fāngshì　WAYS TO TRAVEL

自行车配件　Zìxíngchē Pèijiàn　Parts of a Bike

back wheel	后轮	hòulún
brake	刹车/车闸	shāchē/chēzhá
chain	链条	liàntiáo
fender	挡泥板	dǎngníbǎn
front tire	前轮	qiánlún
handlebar	车把	chēbǎ
pedal	脚蹬子	jiǎodēngzi
pump	打气筒	dǎqìtǒng
reflector	反光镜	fǎnguāngjìng
seat	车座	chēzuò
spokes	辐条	fútiáo
tire	轮胎	lúntāi

陆上交通工具　Lùshang Jiāotōng Gōngjù　On Land Vehicle

bus	公共汽车	gōnggòng qìchē
car	小汽车	xiǎo qìchē
motorcycle	摩托车	mótuōchē
racing car	赛车	sàichē
tractor	拖拉机	tuōlājī
train	火车	huǒchē
tricycle	三轮车	sānlúnchē
truck	卡车	kǎchē
van	小型货车	xiǎoxíng huòchē

情景词语

174

水上交通工具 Shuǐshang Jiāotōng Gōngjù
Means of Transportation On Water

fishing boat	渔船	yúchuán
ocean liner	远洋定期客轮	yuǎnyáng dìngqī kèlún
rowboat	手摇船	shǒuyáochuán
sail boat	帆船	fānchuán
speedboat	快艇	kuàitǐng
trawler	拖网渔船	tuōwǎng yúchuán
tugboat	拖船	tuōchuán

空中交通工具 Kōngzhōng Jiāotōng Gōngjù
Means of Transportation In the Air

airplane	飞机	fēijī
glider	滑翔机	huáxiángjī
helicopter	直升飞机	zhíshēng fēijī
hot-air balloon	热气球	rèqìqiú

联想词语 Liánxiǎng Cíyǔ Associated Words

accelerator	加速器	jiāsùqì
engine	发动机	fādòngjī
flash	闪光	shǎnguāng
gasoline	汽油	qìyóu
gearshift	变速排挡	biànsù páidǎng
helmet	头盔	tóukuī
hurtle	飞驰	fēichí
key	钥匙	yàoshi
land	着陆	zhuólù
roar	吼叫	hǒujiào
sail	开船	kāi chuán
seat belt	座椅安全带	zuòyǐ ānquándài
skim	掠过	lüèguo
soar	翱翔	áoxiáng

175

speed	速度	sùdù
start	启动	qǐdòng
steering wheel	方向盘	fāngxiàngpán
stop	停	tíng
take off	起飞	qǐfēi
windshield	挡风玻璃	dǎngfēng bōli
zoom	急速上升	jísù shàngshēng

6. 学校设备　Xuéxiào Shèbèi　SCHOOL EQUIPMENT

book	书	shū
building blocks	积木	jīmù
chair	椅子	yǐzi
clock	钟	zhōng
coat hook	衣钩	yīgōu
computer	电脑	diànnǎo
crayon	蜡笔	làbǐ
easel	画架	huàjià
faucet	水龙头	shuǐlóngtóu
fish food	鱼食	yúshí
fish tank	鱼缸	yúgāng
glue	胶水	jiāoshuǐ
keyboard	键盘	jiànpán
map	地图	dìtú
marker	标记笔	biāojìbǐ
model	模型	móxíng
paint	颜料	yánliào
painting brush	画笔	huàbǐ
paper	纸	zhǐ
pen	笔	bǐ
pencil	铅笔	qiānbǐ
pencil sharpener	削笔刀	xiāobǐdāo
photograph	相片	xiàngpiàn
picture	图画	túhuà
pillow	枕头	zhěntou

情景词语

plant	植物	zhíwù
Plasticine	橡皮泥	xiàngpíní
printer	打印机	dǎyìnjǐ
puppet	玩偶	wán'ǒu
roller	滚筒	gǔntǒng
ruler	尺子	chǐzi
scissors	剪刀	jiǎndāo
screen	屏幕	píngmù
shelf	架子	jiàzi
sink	水池	shuǐchí
string	线绳	xiànshéng
stuffed toy	填充玩具	tiánchōng wánjù
terrestrial globe	地球仪	dìqiúyí
tissue	纸巾	zhǐjīn
tray	盘子	pánzi
writing board	写字板	xiězìbǎn

联想词语　Liánxiǎng Cíyǔ　Associated Words

cart	手推车	shǒutuīchē
color paper	彩纸	cǎi zhǐ
computer corner	电脑角	diànnǎo jiǎo
drawing paper	画纸	huàzhǐ
felt-tip pen	毡头墨水笔	zhāntóu mòshuǐbǐ
worksheet	活页练习题	huóyè liànxítí
writing paper	写字纸	xiězìzhǐ

7. 学校一日　Xuéxiào Yí Rì　A DAY AT SCHOOL

clap	鼓掌	gǔ zhǎng
color	上色	shàng sè
compare	比较	bǐ jiào
count	计算	jìsuàn
dance	跳舞	tiào wǔ

draw	画	huà
glue	粘	zhān
imagine	想象/设想	xiǎngxiàng/shèxiǎng
look at	看/观察	kàn/guānchá
make	制作	zhìzuò
measure	测量	cèliáng
play	玩儿	wánr
pretend	假装	jiǎzhuāng
read	读	dú
sing	唱	chàng
sort	分类	fēnlèi
weigh	称重	chēng zhòng
write	写	xiě

8. 家　Jiā　HOME

客厅　Kètīng　Living Room

armchair	扶手椅	fúshǒuyǐ
fish tank	鱼缸	yúgāng
lamp	台灯	táidēng
mirror	镜子	jìngzi
sofa	沙发	shāfā
telephone	电话	diànhuà
television	电视	diànshì
vase	花瓶	huāpíng

卧室　Wòshì　Bedroom

blanket	毯子	tǎnzi
bunk bed	双层床	shuāngcéngchuáng
pillow	枕头	zhěntou
radio boom box	收音组合音响	shōuyīn zǔhé yīnxiǎng
toy basket	玩具筐	wánjùkuāng

卫生间　Wèishēngjiān　Restroom

bathtub	浴缸	yùgāng
faucet	水龙头	shuǐlóngtóu
soap	肥皂	féizào
soap dish	肥皂碟/肥皂盒	féizàodié/féizàohé
sponge	海绵	hǎimián
toothbrush	牙刷	yáshuā
toothpaste	牙膏	yágāo
towel	毛巾	máojīn

厨房　Chúfáng　Kitchen

broom	笤帚	tiáozhou
clock	钟	zhōng
high chair	高脚椅	gāojiǎoyǐ
refrigerator	冰箱	bīngxiāng
stove	炉子	lúzi
table	桌子	zhuōzi
tray	托盘	tuōpán

餐具　Cānjù　Dinnerware

bowl	碗	wǎn
cup	杯子	bēizi
dish	盘子/碟子	pánzi/diézi
gravy boat	（船形）肉汁钵	(chuánxíng) ròuzhībō
plate	菜碟	càidié
platter	大浅盘	dà qiǎn pán
salad plate	沙拉碟	shālādié
saucer	茶托	chátuō
sugar bowl	糖罐	tángguàn
teapot	茶壶	cháhú

colander	漏勺	lòusháo
cutting board	切菜板	qiēcàibǎn
dish towel	洗碗布	xǐwǎnbù
fork	叉子	chāzi
frying pan	煎锅	jiānguō
grater	擦菜板	cācàibǎn
knife	刀	dāo
mixing bowl	搅拌碗	jiǎobànwǎn
pitcher	大水罐	dà shuǐguàn
sauce pan	深平底锅	shēn píngdǐguō
scale	天平	tiānpíng
strainer	过滤网	guòlǜwǎng
whisk	打蛋器	dǎdànqì
wooden spoon	木勺	mùsháo

9. 建筑　Jiànzhù　BUILDINGS

apartment	公寓	gōngyù
bank	银行	yínháng
cafe	咖啡店	kāfēidiàn
church	教堂	jiàotáng
cinema	电影院	diànyǐngyuàn
city hall	市政厅	shìzhèngtīng
department store	百货商店	bǎihuò shāngdiàn
factory	工厂	gōngchǎng
firehouse	消防站	xiāofángzhàn
garage	车库	chēkù
hospital	医院	yīyuàn
hotel	旅馆	lǚguǎn
house	房子	fángzi
market	市场	shìchǎng
mosque	清真寺	qīngzhēnsì
museum	博物馆	bówùguǎn
office	办公室	bàngōngshì

情景词语

pet shop	宠物商店	chǒngwù shāngdiàn
recreation center	娱乐中心	yúlè zhōngxīn
school	学校	xuéxiào
skyscraper	摩天大楼	mótiān dàlóu
store	商店	shāngdiàn
supermarket	超级市场	chāojí shìchǎng
swimming pool	游泳池	yóuyǒngchí

联想词语　Liánxiǎng Cíyǔ　Associated Words

attend religious service	做礼拜	zuò lǐbài
drink	喝	hē
eat	吃	chī
get better	好转	hǎozhuǎn
get married	结婚	jié hūn
learn	学习	xuéxí
make things	做东西	zuò dōngxi
play ball	打球	dǎ qiú
stay	停留	tíngliú
swim	游泳	yóu yǒng
withdraw money	取钱	qǔ qián
work	工作	gōngzuò

10. 工具　Gōngjù　TOOLS

建筑工具　Jiànzhù Gōngjù　Building Tools

drill	钻	zuàn
hammer	锤子	chuízi
mallet	木槌	mùchuí
nail	钉子	dīngzi
pliers	钳子	qiánzi
saw	锯子	jùzi
screw	螺丝钉	luósīdīng

| screwdriver | 改锥 | gǎizhuī |
| toolbox | 工具箱 | gōngjùxiāng |

油漆工具　Yóuqī Gōngjù　Painting Tools

ladder	梯子	tīzi
paint	油漆	yóuqī
paintbrush	油漆刷	yóuqīshuā
roller	滚筒	gǔntǒng

园艺工具　Yuányì Gōngjù　Gardening Tools

ax	斧子	fǔzi
fork	叉子	chāzi
lawnmower	割草机	gēcǎojī
rake	耙子	pázi
spade	锹	qiāo
wheelbarrow	独轮手推车	dúlún shǒutuīchē

联想词语　Liánxiǎng Cíyǔ　Associated Words

bristle	刷子毛	shuāzimáo
chop	切	qiē
control	控制	kòngzhì
dig	挖	wā
glass	玻璃	bōli
heavy	重（的）	zhòng (de)
long	长（的）	cháng (de)
plastic	塑料	sùliào
rubber	橡胶	xiàngjiāo
wide	宽（的）	kuān (de)

情景词语

人体 Réntǐ Human Body

arm	胳膊	gēbo
cheek	脸颊	liǎnjiá
ear	耳朵	ěrduo
elbow	肘	zhǒu
eye	眼睛	yǎnjīng
eyebrow	眉毛	méimao
finger	指头	zhǐtou
foot	脚	jiǎo
hand	手	shǒu
leg	腿	tuǐ
mouth	嘴	zuǐ
nose	鼻子	bízi
palm	手掌	shǒuzhǎng
thumb	拇指	mǔzhǐ
toe	脚趾	jiǎozhǐ

毛发 Máofà Hair

blonde	金黄（的）	jīnhuáng (de)
curly	弯曲（的）	wānqū (de)
dark	黑（的）	hēi (de)
long	长（的）	cháng (de)
pigtail	辫子	biànzi
short	短（的）	duǎn (de)

外表 Wàibiǎo Appearance

dark hair	黑发	hēi fà
fat	胖（的）	pàng (de)
knobbly	多节的	duō jié de
long hair	长发	cháng fà

Qíngjǐng Cíyǔ

183

muscular	肌肉发达的	jīròu fādá de
old	老（的）	lǎo (de)
pale skin	苍白的皮肤	cāngbái de pífū
plump	丰满（的）	fēngmǎn (de)
round nose	蒜头鼻子	suàntóu bízi
short leg	短腿	duǎn tuǐ
skinny	皮包骨的	pí bāo gǔ de
stout	结实粗壮（的）	jiēshi cūzhuàng (de)
strong	强壮（的）	qiángzhuàng (de)
thin	瘦（的）	shòu (de)
thin leg	细腿	xì tuǐ
young	年轻（的）	niánqīng (de)

12. 服饰 Fúshì CLOTHES AND PERSONAL ADORMENTS

日常服装 Rìcháng Fúzhuāng Clothing

dress	连衣裙	liányīqún
jeans	牛仔裤	niúzǎikù
overalls	工装裤	gōngzhuāngkù
pants	裤子	kùzi
shirt	衬衣	chènyī
shorts	短裤	duǎnkù
skirt	裙子	qúnzi
socks	短袜	duǎnwà
sports shirt	运动衫	yùndòngshān
striped pants	条纹裤	tiáowénkù
sweater	毛衣	máoyī
T-shirt	T恤	T-xù

户外服装 Hùwài Fúzhuāng Outdoor Clothing

| coat | 外套 | wàitào |
| gloves | 手套 | shǒutào |

情景词语

hooded top	有帽兜的上衣	yǒu màodōu de shàngyī
jacket	夹克/短上衣	jiākè/duǎn shàngyī
scarf	围巾	wéijīn

帽类　Mào Lèi　Headgear

cap	帽子	màozi
scarf	头巾	tóujīn
ski cap	滑雪帽	huáxuěmào
straw hat	草帽	cǎomào
sunhat	太阳帽	tàiyángmào

珠宝　Zhūbǎo　Jewelry

bracelet	手镯	shǒuzhuó
earring	耳环	ěrhuán
necklace	项链	xiàngliàn
pin	别针	biézhēn
ring	戒指	jièzhi

鞋类　Xié Lèi　Footwear

ballet shoe	芭蕾舞鞋	bāléiwǔxié
hiking boot	登山靴	dēngshānxuē
rubber boot	胶鞋	jiāoxié
sandal	凉鞋	liángxié
shoe	鞋	xié
sneaker	运动鞋	yùndòngxié
soccer cleat	足球鞋	zúqiúxié

联想词语　Liánxiǎng Cíyǔ　Associated Words

| baggy | 宽松下垂的 | kuānsōng xiàchuí de |

belt	带子	dàizi
bright	明亮（的）	míngliàng (de)
check	检查	jiǎnchá
clean	干净（的）	gānjìng (de)
crease	折痕	zhéhén
crumpled	皱的/弯曲（的）	zhòu de / wānqū (de)
old	老（的）/旧（的）	lǎo (de) / jiù (de)
shiny	发光（的）	fāguāng (de)
tight	紧（的）	jǐn (de)
torn	撕破的	sīpò de
trendy	流行（的）/时髦（的）	liúxíng (de) / shímáo (de)
warm	暖和（的）	nuǎnhuo (de)

13. 各行各业　Gè Háng Gè Yè　ALL WALKS OF LIFE

ballet dancer	芭蕾舞演员	bālěiwǔ yǎnyuán
baseball player	棒球运动员	bàngqiú yùndòngyuán
bricklayer	瓦匠	wǎjiang
bus driver	公共汽车司机	gōnggòng qìchē sījǐ
computer operator	电脑操作员	diànnǎo cāozuòyuán
construction worker	建筑工人	jiànzhù gōngrén
dentist	牙医	yáyī
doctor	医生	yīshēng
eye-doctor	眼科医生	yǎnkē yīshēng
farmer	农民	nóngmín
garbage collector	垃圾工	lājīgōng
gardener	园丁	yuándīng
hairdresser, barber	理发师	lǐfàshī
mechanic	机械师	jīxièshī
news anchor	新闻主持人	xīnwén zhǔchírén
nurse	护士	hùshi
photographer	摄影师	shèyǐngshī
pilot	飞行员	fēixíngyuán
plumber	管道工	guǎndàogōng
postman	邮差	yóuchāi

soccer player	足球运动员	zúqiú yùndòngyuán
street cleaner	街道清洁工	jiēdào qīngjiégōng
teacher	教师	jiàoshī
truck driver	卡车司机	kǎchē sījī
TV cameraperson	电视摄影师	diànshì shèyǐngshī
vet	兽医	shòuyī
waiter, waitress	服务员	fúwùyuán
window cleaner	擦窗工	cāchuānggōng
writer	作家	zuòjiā

14. 故事中的角色　Gùshi Zhōng de Juésè　STORY CHARACTERS

人物　Rénwù　People

clown	小丑	xiǎochǒu
elf	小精灵	xiǎojīnglíng
emperor	皇帝	huángdì
fairy	仙女	xiānnǚ
farmer	农民	nóngmín
genie	妖怪/鬼	yāoguài / guǐ
giant	巨人	jùrén
gingerbread man	姜饼人	jiāngbǐngrén
king	国王	guówáng
knight	骑士	qíshì
mermaid	美人鱼	měirényú
monster	怪物	guàiwù
old man	老头	lǎotóu
old woman	老太太	lǎotàitai
pirate	海盗	hǎidào
prince	王子	wángzǐ
princess	公主	gōngzhǔ
queen	王后	wánghòu
sailor	船员	chuányuán
shepherd	牧羊人	mùyángrén

soldier	士兵	shìbīng
thief	小偷	xiǎotōu
troll	巨魔	jùmó
witch	巫婆	wūpó

地点　Dìdiǎn　Places

cottage	小屋/村舍	xiǎo wū/cūnshè
fort	城堡	chéngbǎo
palace	宫殿	gōngdiàn
tower	塔	tǎ
village	村庄	cūnzhuāng

联想词语　Liánxiǎng Cíyǔ　Associated Words

beautiful	美丽（的）	měilì (de)
charming	迷人（的）	mírén (de)
cruel	残酷（的）	cánkù (de)
happy	幸福（的）/高兴（的）	xìngfú (de)/gāoxìng (de)
poor	贫穷（的）	pínqióng (de)
powerful	有力（的）	yǒulì (de)
pretty	漂亮（的）	piàoliang (de)
rich	富有（的）	fùyǒu (de)
sad	难过（的）	nánguò (de)
silly	愚蠢（的）	yúchǔn (de)
wicked	邪恶（的）/淘气（的）	xié'è (de)/táoqì (de)
young	年轻（的）	niánqīng (de)

15. 故事中的动物　Gùshi Zhōng de Dòngwù　ANIMALS IN STORIES

动物　Dòngwù　Animals

bear	熊	xióng
cat	猫	māo

dinosaur	恐龙	kǒnglóng
dragon	龙	lóng
fox	狐狸	húli
frog	青蛙	qīngwā
goat	山羊	shānyáng
hen	母鸡	mǔjī
horse	马	mǎ
lion	狮子	shīzi
monkey	猴子	hóuzi
mouse	老鼠	lǎoshǔ
pig	猪	zhū
toad	蟾蜍/癞蛤蟆	chánchú/làiháma
wolf	狼	láng

故事场景　Gùshi Chǎngjǐng　Story Settings

cave	洞穴	dòngxué
desert	沙漠	shāmò
forest	森林	sēnlín
island	岛	dǎo
lake	湖	hú
mountain	山	shān
swamp	沼泽	zhǎozé

联想词语　Liánxiǎng Cíyǔ　Associated Words

alien	陌生（的）	mòshēng (de)
crafty	狡猾（的）	jiǎohuá (de)
enormous	巨大（的）	jùdà (de)
fierce	凶猛（的）/强烈（的）	xiōngměng (de)/qiángliè (de)
gentle	温和（的）/高尚（的）	wēnhé (de)/gāoshàng (de)
hairy	多毛的/长毛的	duō máo de/cháng máo de
proud	骄傲（的）	jiāo'ào (de)
silent	寂静（的）/沉默（的）	jìjìng (de)/chénmò (de)

timid	胆小（的）	dǎnxiǎo (de)
tiny	极小（的）	jǐ xiǎo (de)
ugly	丑陋（的）	chǒulòu (de)
wise	聪明（的）	cōngming (de)

16. 故事中的物品　Gùshi Zhōng de Wùpǐn　OBJECTS IN STORIES

basket	篮子	lánzi
boat	船	chuán
clock	钟	zhōng
coin	硬币	yìngbì
crown	皇冠	huángguān
feast	宴会	yànhuì
fire	火	huǒ
flying carpet	飞毯	fēitǎn
fountain	喷泉	pēnquán
glass slipper	水晶鞋	shuǐ jīngxié
goblet	高脚杯	gāojiǎobēi
(letter of) invitation	邀请/邀请信	yāoqǐng / yāoqǐngxìn
key	钥匙	yàoshi
mask	面具	miànjù
mirror	镜子	jìngzi
moon	月亮	yuèliang
present	礼物	lǐwù
ring	戒指	jièzhi
rope	绳子	shéngzi
smoke	烟	yān
spell	法术	fǎshù
sword	剑	jiàn
telescope	望远镜	wàngyuǎnjìng
throne	宝座	bǎozuò
treasure chest	藏宝箱	cángbǎoxiāng
turban	（穆斯林的）头巾	(Mùsīlín de) tóujīn
veil	面纱	miànshā
wand	魔杖	mózhàng

情景词语

| well | 井 | jǐng |
| witch's hat | 女巫帽 | nǚwūmào |

联想词语 Liánxiǎng Cíyǔ Associated Words

dazzling	耀眼（的）	yàoyǎn (de)
delicate	纤弱（的）	xiānruò (de)
glitter	闪烁	shǎnshuò
golden	金子般的	jīnzi bān de
gorgeous	华美（的）	huáměi (de)
great	大（的）/伟大（的）	dà (de) / wěidà (de)
heavy	重（的）	zhòng (de)
mysterious	神秘（的）	shénmì (de)
rusty	生锈的	shēngxiù de
shiny	发光的	fāguāng de
sparkling	金花四溅的	jīn huā sì jiàn de
splendid	壮丽（的）	zhuànglì (de)

17. 购物 Gòu Wù GOING SHOPPING

杂货 Záhuò Groceries

bread	面包	miànbāo
butter	黄油	huángyóu
cheese	奶酪	nǎilào
egg	蛋	dàn
jam	果酱	guǒjiàng
ketchup	番茄酱	fānqiéjiàng
macaroni	通心粉	tōngxīnfěn
milk	牛奶	niúnǎi
rice	大米	dàmǐ
yogurt	酸奶	suānnǎi

肉和鱼　Ròu hé Yú　Meat and Fish

chicken	鸡肉	jīròu
fish	鱼	yú
fish sticks	鱼条	yútiáo
ham	火腿	huǒtuǐ
sausage	香肠	xiāngcháng

蔬菜　Shūcài　Vegetables

bean	豆子	dòuzi
broccoli	西蓝花/绿菜花	xīlánhuā/lǜcàihuā
carrot	胡萝卜	húluóbo
cauliflower	花椰菜/菜花	huāyēcài/càihuā
cucumber	黄瓜	huánggua
garlic	蒜	suàn
lettuce	生菜	shēngcài
mushroom	蘑菇	mógu
onion	洋葱	yángcōng
pumpkin	南瓜	nánguā
sweet potato	甘薯	gānshǔ

水果　Shuǐguǒ　Fruit

apple	苹果	píngguǒ
apricot	杏	xìng
banana	香蕉	xiāngjiāo
cherry	樱桃	yīngtáo
grape	葡萄	pútao
lemon	柠檬	níngméng
orange	橙子	chéngzi
pineapple	菠萝	bōluó
plum	李子	lǐzi
strawberry	草莓	cǎoméi
tomato	西红柿	xīhóngshì

情景词语

bag	袋子	dàizi
bar	条/块	tiáo/kuài
basket	篮子	lánzi
bottle	瓶子	píngzi
box	盒子/箱子	hézi/xiāngzi
bunch	束	shù
can	罐头	guàntou
container	容器	róngqì
jar	罐子	guànzi
package	包裹	bāoguǒ
pound	磅	bàng
slab	厚片	hòu piàn

18. 食物　Shíwù　FOOD

apple pie	苹果派	píngguǒpài
baked potato	烤土豆	kǎotǔdòu
bread	面包	miànbāo
burger and fries	汉堡和炸薯条	hànbǎo hé zháshǔtiáo
cake	蛋糕	dàngāo
cereal	麦片粥	màipiànzhōu
cheese	奶酪	nǎilào
chicken leg	鸡腿	jītuǐ
chocolate cake	巧克力蛋糕	qiǎokèlì dàngāo
cookie	曲奇/饼干	qūqí/bǐnggān
fries	炸薯条	zháshǔtiáo
fruit	水果	shuǐguǒ
hot chocolate	热巧克力	rè qiǎokèlì
ice cream	冰激凌/冰淇淋	bīngjīlíng/bīngqílín
jam	果酱	guǒjiàng
macaroni	通心粉	tōngxīnfěn
muffin	松饼	sōngbǐng
nut	坚果	jiānguǒ
omelet	煎蛋卷	jiāndànjuǎn

orange juice	橙汁	chéngzhī
pancake	薄饼	báobǐng
pizza	比萨饼	bǐsàbǐng
salad	沙拉	shālā
sandwich	三明治	sānmíngzhì
soup	汤	tāng
stew	炖肉/炖菜	dùnròu/dùncài
toast	烤面包/吐司	kǎomiànbāo/tǔsī

联想词语　Liánxiǎng Cíyǔ　Associated Words

bag	袋子	dàizi
carton	硬纸盒	yìngzhǐhé
chewy	耐嚼的	nàijiáo de
cold	冷（的）	lěng (de)
creamy	含乳脂的/奶油色（的）	hán rǔzhī de/nǎiyóusè (de)
crisp	脆（的）	cuì (de)
crunchy	松脆的	sōngcuì de
cup	杯子	bēizi
gooey	黏（的）	nián (de)
handful	一把的	yì bǎ de
hot	烫（的）/热（的）	tàng (de)/rè (de)
iced	冰镇的	bīngzhèn de
juice	汁	zhī
mug	带把大圆杯	dài bà dà yuán bēi
mushy	糊状的	húzhuàng de
piece	块/条	kuài/tiáo
plate	盘/碟	pán/dié
slice	切/切片	qiē/qiēpiàn
smooth	爽滑（的）	shuǎnghuá (de)
spicy	辛辣（的）	xīnlà (de)
spoonful	一勺的	yì sháo de
tangy	浓郁（的）	nóngyù (de)
warm	温暖（的）	wēnnuǎn (de)

宠物   Chǒngwù   Pets

cat	猫	māo
dog	狗	gǒu
doggy	小狗	xiǎo gǒu
goldfish	金鱼	jīnyú
hamster	仓鼠	cāngshǔ
kitten	小猫	xiǎo māo
mouse	老鼠	lǎoshǔ
parrot	鹦鹉	yīngwǔ
rabbit	兔子	tùzi
snake	蛇	shé
spider	蜘蛛	zhīzhū

宠物窝   Chǒngwù Wō   Where Pets Sleep

armchair	扶手椅	fúshǒuyǐ
basket	篮子	lánzi
birdcage	鸟笼	niǎolóng
fish tank	鱼缸	yúgāng
hutch	圈/栏	juàn / lán
jar	罐子	guànzi

宠物食品   Chǒngwù Shípǐn   What Pets Eat

birds' food	鸟食	niǎoshí
bone	骨头	gǔtou
cheese	奶酪	nǎilào
fish	鱼	yú
lettuce	生菜	shēngcài
pet food	宠物食品	chǒngwù shípǐn

Qíngjǐng Cíyǔ

195

宠物的活动　Chǒngwù de Huódòng　What Pets Do

hide	藏	cáng
play	玩儿	wánr
run	跑	pǎo
scratch	抓／搔	zhuā／sāo
sleep	睡	shuì
splash	溅起	jiànqǐ

联想词语　Liánxiǎng Cíyǔ　Associated Words

bark	叫／吠	jiào／fèi
clean	干净（的）	gānjìng (de)
dirty	脏（的）	zāng (de)
furry	毛皮的	máopí de
hairy	多毛的／长毛的	duō máo de／cháng máo de
interesting	好玩儿（的）	hǎowánr (de)
lazy	懒（的）	lǎn (de)
lovely	可爱（的）	kě'ài (de)
noisy	喧闹（的）	xuānnào (de)
nosy	大鼻子的	dà bízi de
quiet	安静（的）	ānjìng (de)
scaly	有鳞的／鳞状的	yǒu lín de／línzhuàng de
smart	聪明（的）	cōngming (de)

20. 农场动物　Nóngchǎng Dòngwù　FARM ANIMALS

bee	蜜蜂	mìfēng
bull	公牛	gōngniú
calf	牛犊	niúdú
chick	小鸡	xiǎo jī
chicken	鸡	jī
cow	母牛	mǔniú
donkey	驴	lú
duck	鸭	yā

duckling	小鸭子	xiǎo yāzi
foal	马驹	mǎjū
goat	山羊	shānyáng
goose	鹅	é
gosling	小鹅	xiǎo é
horse	马	mǎ
kid	小山羊	xiǎo shānyáng
pig	猪	zhū
piglet	小猪	xiǎo zhū
rooster	公鸡	gōngjǐ
sheep	绵羊	miányáng
turkey	火鸡	huǒjǐ

联想词语　Liánxiǎng Cíyǔ　Associated Words

barn	谷仓/牲口棚	gǔcāng/shēngkoupéng
beehive	蜂巢	fēngcháo
bird's nest	鸟巢	niǎocháo
chicken coop	鸡舍	jīshè
field	田地	tiándì
lamb	羊肉	yángròu
larva	幼虫	yòuchóng
peck	啄食/啄	zhuóshí/zhuó
pond	水塘	shuǐtáng
scratch	抓/搔	zhuā / sāo
stable	稳定（的）	wěndìng (de)
sty	猪圈	zhūjuàn

21. 海洋生物　Hǎiyáng Shēngwù　SEA CREATURES

angelfish	天使鱼	tiānshǐyú
coral	珊瑚	shānhú
crab	螃蟹	pángxiè
dolphin	海豚	hǎitún
electric eel	电鳗	diànmán

jellyfish	水母／海蜇	shuǐmǔ／hǎizhé
lobster	龙虾	lóngxiā
oyster	牡蛎	mǔlì
seahorse	海马	hǎimǎ
seal	海豹	hǎibào
shark	鲨鱼	shāyú
starfish	海星	hǎixīng
turtle	海龟	hǎiguī
whale	鲸鱼	jīngyú

联想词语　Liánxiǎng Cíyǔ　Associated Words

cling	附着于／紧抱	fùzhuó yú／jǐn bào
dive	潜水	qiánshuǐ
fin	鳍	qí
float	漂	piāo
glide	滑行	huáxíng
grow	成长	chéngzhǎng
hide	藏	cáng
rock	礁石／岩石	jiāoshí／yánshí
scale	鱼鳞	yúlín
sea bed	海床	hǎichuáng
tail	尾巴	wěiba

22. 野生动物　Yěshēng Dòngwù　WILD ANIMALS

anteater	食蚁兽	shíyǐshòu
antelope	羚羊	língyáng
baboon	狒狒	fèifèi
bear	熊	xióng
bear cub	小熊	xiǎo xióng
camel	骆驼	luòtuo
cheetah	印度豹／非洲猎豹	Yìndù bào／Fēizhōu lièbào
crocodile	鳄鱼	èyú

deer	鹿	lù
elephant	大象	dàxiàng
fox	狐狸	húli
gibbon	长臂猿	chángbìyuán
giraffe	长颈鹿	chángjǐnglù
hare	野兔	yětù
kangaroo	袋鼠	dàishǔ
koala	考拉	kǎolā
leopard	豹子	bàozi
lion	狮子	shīzi
lizard	蜥蜴	xīyì
monkey	猴子	hóuzi
orangutan	猩猩	xīngxing
otter	水獭	shuǐtǎ
panda	熊猫	xióngmāo
platypus	鸭嘴兽	yāzuǐshòu
reindeer	驯鹿	xùnlù
sloth	树獭	shùtǎ
snake	蛇	shé
tiger	老虎	lǎohǔ
tortoise	乌龟	wūguī
wolf	狼	láng
yak	牦牛	máoniú
zebra	斑马	bānmǎ

联想词语　Liánxiǎng Cíyǔ　Associated Words

fierce	凶猛（的）/强烈（的）	xiōngměng (de) / qiángliè (de)
furry	毛皮的	máopí de
hairy	多毛的/长毛的	duō máo de / cháng máo de
huge	巨大（的）	jùdà (de)
humongous	非常庞大的	fēicháng pángdà de
interesting	好玩儿（的）	hǎowánr (de)
rough	粗（的）/粗鲁（的）/难吃（的）	cū (de) / cūlǔ (de) / nánchī (de)
sleek	又滑又亮的	yòu huá yòu liàng de

smelly	难闻（的）/臭（的）	nánwén (de) / chòu (de)
speedy	快速（的）	kuàisù (de)
strong	强壮（的）	qiángzhuàng (de)
tiny	极小（的）	jí xiǎo (de)

23. 鸟类　Niǎo Lèi　BIRDS

鸟的各部位　Niǎo de Gè Bùwèi　Parts of a Bird's Body

beak	鸟嘴	niǎozuǐ
eye	眼睛	yǎnjing
feather	羽毛	yǔmáo
tail	尾巴	wěiba
talon	利爪	lì zhuǎ
wing	翅膀	chìbǎng

各种鸟　Gè Zhǒng Niǎo　Birds

flamingo	火烈鸟	huǒlièniǎo
hawk	鹰	yīng
ostrich	鸵鸟	tuóniǎo
parrot	鹦鹉	yīngwǔ
peacock	孔雀	kǒngquè
seagull	海鸥	hǎi'ōu
stork	鹳	guàn
swallow	燕子	yànzi
swan	天鹅	tiān'é
vulture	秃鹫	tūjiù

鸟生活的地方　Niǎo Shēnghuó de Dìfang　Where Birds Live

| cave | 洞穴 | dòngxué |
| cliff | 悬崖 | xuányá |

情景词语

200

field	田野	tiányě
forest	树林	shùlín
marsh	沼泽	zhǎozé
mountain	山	shān
river	河	hé
town	城镇	chéngzhèn

鸟食　Niǎoshí　Birds' Food

ant	蚂蚁	mǎyǐ
berry	浆果	jiāngguǒ
fish	鱼	yú
frog	青蛙	qīngwā
grub	幼虫	yòuchóng
insect	昆虫	kūnchóng
mouse	老鼠	lǎoshǔ
nut	坚果	jiānguǒ
seed	种子	zhǒngzi
worm	蠕虫	rúchóng

联想词语　Liánxiǎng Cíyǔ　Associated Words

build	建筑	jiànzhù
catch	抓	zhuā
dive	潜水	qiánshuǐ
flap	拍打／拍击	pāidǎ／pāijī
glide	滑翔	huáxiáng
hover	盘旋	pánxuán
peck	啄食／啄	zhuóshí／zhuó
perch	栖息	qīxī
roost	栖息处	qīxīchù
search	寻找	xúnzhǎo
soar	翱翔	áoxiáng
swoop	俯冲／猛冲	fǔchōng／měng chōng

昆虫的各部位 Kūnchóng de Gè Bùwèi Parts of an Insect's Body

abdomen	腹部	fùbù
antenna	触须	chùxū
eye	眼睛	yǎnjīng
head	头	tóu
leg	腿	tuǐ
thorax	（昆虫的）胸部	(kūnchóng de) xiōngbù

爬虫 Páchóng Reptiles

ant	蚂蚁	mǎyǐ
centipede	蜈蚣	wúgōng
slug	蛞蝓／鼻涕虫	kuòyú／bítìchóng
snail	蜗牛	wōniú
spider	蜘蛛	zhīzhū
woodlouse	潮虫	cháochóng
worm	蠕虫	rúchóng

飞虫 Fēichóng Winged Insects

bee	蜜蜂	mìfēng
beetle	甲虫	jiǎchóng
butterfly	蝴蝶	húdié
caterpillar	毛虫	máochóng
dragonfly	蜻蜓	qīngtíng
fly	苍蝇	cāngying
glow-worm	萤火虫	yínghuǒchóng
grasshopper	蚱蜢	zhàměng
ladybug	瓢虫	piáochóng
mosquito	蚊子	wénzi

flower	花	huā
grass	草	cǎo
nettle	荨麻	qiánmá
plant	植物	zhíwù
pond	水塘	shuǐtáng
tree	树	shù
wall	墙	qiáng
web	蜘蛛网	zhīzhūwǎng

联想词语　Liánxiǎng Cíyǔ　Associated Words

burrow	挖洞	wā dòng
crawl	爬行	páxíng
curly	弯曲（的）	wānqū (de)
dart	投掷	tóuzhì
flutter	拍翅膀	pāi chìbǎng
grow	成长	chéngzhǎng
hide	藏	cáng
lay	产卵	chǎn luǎn
scuttle	快跑	kuài pǎo
shelter	遮蔽/避难所	zhēbì/bìnànsuǒ
wriggle	蠕动/扭动	rúdòng/niǔdòng

25. 植物　Zhíwù　PLANTS

花的各部位　Huā de Gè Bùwèi　Parts of a Flower

flower	花	huā
leaf	叶子	yèzi
petal	花瓣	huābàn
seed	种子	zhǒngzi

Qíngjǐng Cíyǔ

203

| stalk | 花梗 | huāgěng |
| vein | 叶脉 | yèmài |

各种花　Gè Zhǒng Huā　Flowers

bluebell	圆叶风铃草	yuán yè fēnglíngcǎo
crocus	番红花	fānhónghuā
daffodil	黄水仙花	huáng shuǐxiānhuā
rose	玫瑰	méigui
sunflower	向日葵	xiàngrìkuí
tulip	郁金香	yùjīnxiāng
water lily	睡莲	shuìlián
wild rose	野玫瑰	yě méigui

树的各部位　Shù de Gè Bùwèi　Parts of a Tree

bark	树皮	shùpí
branch	树枝	shùzhī
growth ring	年轮	niánlún
leaf	树叶	shùyè
log	原木	yuánmù
root	根	gēn
tree stump	树桩	shùzhuāng
trunk	树干	shùgàn

各种树　Gè Zhǒng Shù　Trees

beech	山毛榉	shānmáojǔ
oak	橡树	xiàngshù
palm	棕榈树	zōnglǘshù
pine	松树	sōngshù
yew	紫杉	zǐshān

情景词语

果实　Guǒshí　Nuts and Fruits

acorn	橡子	xiàngzǐ
holly berry	冬青果	dōngqīngguǒ
horse chestnut	七叶树果	qīyèshùguǒ
pine cone	松果	sōngguǒ

联想词语　Liánxiǎng Cíyǔ　Associated Words

bud	芽／苞／发芽	yá / bāo / fā yá
cold	冷（的）	lěng (de)
fall	秋天	qiūtiān
petal	花瓣	huābàn
rain	雨	yǔ
sepal	萼片	èpiàn
soil	土壤	tǔrǎng
spring	春天	chūntiān
summer	夏天	xiàtiān
warm	暖和（的）	nuǎnhuo (de)
winter	冬天	dōngtiān

26. 季节和天气 Jìjié hé Tiānqì SEASONS AND WEATHER

cloud	云	yún
cold	冷（的）	lěng (de)
fall	秋天	qiūtiān
fog	雾	wù
frosty	结霜的	jié shuāng de
hot	热（的）	rè (de)
icicle	冰柱	bīngzhù
lightning	闪电	shǎndiàn
mist	薄雾	báo wù
rain	雨／下雨	yǔ / xià yǔ
rainbow	彩虹	cǎihóng
raindrop	雨滴	yǔdī

rainy	下雨的	xià yǔ de
shower	阵雨	zhènyǔ
snowy	下雪的	xià xuě de
spring	春天	chūntiān
storm	暴风雨/暴风雪	bàofēngyǔ / bàofēngxuě
storm cloud	暴风云	bàofēngyún
summer	夏天	xiàtiān
sun	太阳	tàiyáng
windy	刮风的	guā fēng de
winter	冬天	dōngtiān

联想词语 Liánxiǎng Cíyǔ Associated Words

blaze	闪耀	shǎnyào
chilly	寒冷（的）	hánlěng (de)
cool	凉快（的）	liángkuai (de)
drip	滴下	dīxià
dry	干燥	gānzào
frozen	冻结（的）/冷冻（的）	dòngjié (de) / lěngdòng (de)
mild	温和（的）/温暖（的）	wēnhé (de) / wēnnuǎn (de)
piercing	严寒刺骨的	yánhán cìgǔ de
pour	涌出/倒	yǒngchū / dào
puddle	水坑/雨水坑	shuǐkēng / yǔshuǐkēng
shine	阳光/照耀	yángguāng / zhàoyào
spatter	溅/洒落	jiàn / sǎluò

《轻松学中文》

《轻松学中文》是一套面向非华裔青少年并针对IB及AP汉语考试编写的汉语教材，适合海外中学生和中国国际学校的学生使用。

全书共8册，每册包括彩色课本（含1张CD）、练习册（第6～8册课本与练习册合为一册）、教师用书（附单元测验试卷及1张CD），1～3册还配有图卡、词语卡片和教学挂图。

已出版英文版、法文版、德文版。

《新意中文》

《新意中文》是一套专为海外学生编写的"海外本土化教材"，适合4～16岁的华裔青少年使用。

全套共16册，每册包括课本、作业练习、录音光盘、配套试卷等内容。教材另配有教师用生字卡片。

学完全部课程，学生可掌握2500个汉字，并通过中文AP考试。

教材包括文学、地理、历史、哲学等丰富的中国文化知识。

Embark on your Chinese learning from the website of Beijing Language and Culture University Press

北京语言大学出版社网站：www.blcup.com

从这里开始……

这里是对外汉语精品教材的展示平台

汇集2000余种对外汉语教材，检索便捷，每本教材有目录、简介、样课等详尽信息。

It showcases BLCUP's superb textbooks on TCFL (Teaching Chinese as a Foreign Language)

It collects more than 2,000 titles of BLCUP's TCFL textbooks, which are easy to be searched, with details such as table of contents, brief introduction and sample lessons for each textbook.

这里是覆盖全球的电子商务平台

在任何地点，均可通过VISA/MASTER卡在线购买。

It provides an E-commerce platform which covers the whole world.

Online purchase via VISA/MASTER can be made in every part of the world.

这里是对外汉语教学／学习资源的服务平台

提供测试题、知识讲解、阅读短文、教案、课件、教学示范、教材配套资料等各类文字、音视频资源。

It provides a services platform for Chinese language education for foreigners.

All kinds of written and audio-visual teaching resources are provided, including tests, explanations on language points, reading passages, teaching plans, courseware, teaching demo and other supplementary teaching materials etc.

这里是数字出版的体验平台

只需在线支付，即刻就可获取质高价优的全新电子图书。

It provides digital publication service.

A top-grade and reasonably-priced brand new e-book can be obtained as soon as you pay for it online.

这里是沟通交流的互动平台

汉语教学与学习论坛，使每个参与者都能共享海量信息与资源。

It provides a platform for communication.

This platform for Chinese teaching and learning makes it possible for every participant to share our abundant data and resources.